HONORE DE BALZAC

LE PERE GORIOT

SIMPLIFIE A L'USAGE DES LYCEES
ET DES ETUDES PRIVEES

Cette édition, dont le vocabulaire se restreint aux mots les plus courants de la langue française (d'après le CENTRALA ORDFÖRRÅDET I FRANSKAN de Börje Schlyter et le GRUND – UND AUFBAUWORTSCHATZ FRANZÖSISCH de Nickolaus), a été abrégée et simplifiée à l'usage des étudiants de français d'un niveau déjà avancé.

© 1971 par GRAFISK FORLAG S.A.

REDACTEURS:

Ellis Cruse	*Danemark*
Inga Säfholm	*Suède*
Otto Weise	*Allemagne*
Reidar Kvaal	*Norvège*

Illustrations: Oskar Jørgensen
ISBN Danemark 87 429 7620 0
Imprimé au Danemark par Grafisk Institut S.A., Copenhague
MCMLXXI

HONORE DE BALZAC

naît en 1799 à Tours d'une famille de bonne bour-geoisie. Ayant passé six ans comme pensionnaire au collège des *Oratoriens* à Vendôme (1807 – 1813), il achève ses études à Paris (1814 – 1816), puis com-mence le droit tout en travaillant chez un homme de loi. De plus, fortement influencé par son père qui s'intéresse aux problèmes sociaux, et se croyant des-tiné à la philosophie, il suit des cours à *la Sorbonne*.

En 1819, il annonce à ses parents son désir de de-venir écrivain et obtient l'autorisation de vivre seul, à Paris, dans une petite chambre. Il commence, en 1821, à publier des romans et des nouvelles, pour gagner l'argent nécessaire à son entretien ; mais, mal-gré ses efforts, le succès ne vient pas.

Balzac *se lance* alors dans les affaires commercia-les, achète une imprimerie. C'est un échec; il doit abandonner et se remettre à écrire pour payer ses dettes.

En 1829, deux œuvres dont LES CHOUANS sont bien accueillies par le public. Désormais, s'il rêve toujours de philosophie comme le prouve LA PEAU DE CHAGRIN en 1831, si ses idées sociales s'expriment dans LE MEDECIN DE CAMPAGNE (1833), ses rêves scientifiques dans LA RECHERCHE DE L'ABSOLU (1834) et son idéal *mystique* dans LOUIS LAMBERT et SERAPHITA, Balzac reste avant tout romancier.

Oratoriens, religieux spécialisés dans l'enseignement.

la Sorbonne, l'Université de Paris.

se lancer, ici: s'engager avec enthousiasme.

mystique, qui appartient au mysticisme: philosophie des idées religieuses.

En effet, 1833 est l'année de son premier chef-d'œuvre : EUGENIE GRANDET ; 1834, celle du PERE GORIOT où est fixé définitivement le *système romanesque balzacien* : placer les personnages dans un univers fermé et les faire revivre dans toutes ses œuvres. Le travail est énorme, l'œuvre immense. Les chefs-d'œuvre succèdent aux chefs-d'œuvre : LE LYS DANS LA VALLEE, HISTOIRE DE LA GRANDEUR ET DE LA DECADENCE DE CESAR BIROTTEAU, LES ILLUSIONS PERDUES, LE CURE DE VILLAGE, URSULE MIROUET. Balzac devient un *forçat* de la littérature ; mais son effort est soutenu par Madame Hanska qu'il rejoint parfois dans tous les pays d'Europe et avec qui il entretient une correspondance passionnée.

En 1842, pour mieux *souligner* l'unité de son œuvre, il lui choisit un titre général : LA COMEDIE HUMAINE ; mais celle-ci n'est pas achevée. En 1844, il publie MODESTE MIGNON, en 1846 LA COUSINE BETTE, en 1847 LE COUSIN PONS.

En 1850, épuisé par son travail, Balzac meurt, quelques mois après avoir épousé Madame Hanska.

---

système romanesque balzacien, style particulier aux romans de Balzac.
forçat, condamné aux travaux forcés (sens fig.).
souligner, faire remarquer.

LE PERE GORIOT

MAISON VAUQUER

volet
shutter

écriteau
notice
sign

barreau
bar

I

Madame Vauquer, née de Conflans, *tenait* depuis
toujours, à Paris, une pension dont elle était la propriétaire. Cette « pension *bourgeoise* » était située
dans la rue Neuve-Sainte-Geneviève, à l'endroit où
la pente est si forte que les chevaux la montent ou la
descendent rarement ; cette circonstance est favorable
à la fois au silence et à l'ennui... En effet, dans ces
rues proches du *Quartier Latin*, le passage d'une voiture est un événement, le sol est sec, les maisons d'une
pauvreté *attristante*, et, nul lieu, dans Paris, n'est plus
horrible ni plus inconnu.

La façade de la pension s'ouvre sur l'étroite allée
d'un *jardinet* enfermé entre deux murailles couvertes
de *lierre*. D'un côté sont plantés quelques maigres
légumes, de l'autre, à l'ombre de *tilleuls*, une table
de fer et des sièges de jardin où, l'été, les pensionnaires prennent parfois le café.

A l'entrée de l'allée, au-dessus de la porte, un
écriteau indique: MAISON VAUQUER. Cette pension reçoit également les hommes et les femmes, les
jeunes gens et les vieillards, sans que jamais les

---

tenir, diriger.
bourgeois, ici: simple, sans luxe.
Quartier Latin, quartier de l'Université à Paris.
attristant, qui rend triste.
jardinet, petit jardin.
lierre, plante grimpante qui s'accroche au mur.
tilleul, grand arbre à bois blanc.

mauvaises langues aient pu attaquer les mœurs de ce respectable établissement. Il faut dire que, depuis trente ans, on n'y avait jamais vu une jeune fille, et, pour qu'un jeune homme y habite, il fallait que sa famille lui accorde bien peu d'argent.

De l'extérieur, c'est une maison de trois étages, dont la construction pauvre disparaît sous l'affreuse peinture jaune que l'on rencontre souvent dans de tels endroits. Chaque étage possède cinq fenêtres en façade et deux en profondeur ; au *rez-de-chaussée*, toutes ces fenêtres s'ornent de *barreaux* tandis que celles des étages sont fermées par des *volets* inégaux.

A l'intérieur, le rez-de-chaussée se compose d'un salon, d'une salle à manger et de la cuisine. Le salon est une pièce sombre et laide, où règne le plus parfait mauvais goût : les meubles ne forment pas un ensemble, il ne brûle jamais de feu dans la cheminée, les fleurs *artificielles* sont couvertes de poussière, et le *papier peint* qui couvre les murs est en très mauvais état. Pourtant, cette pièce semble presque agré-

papier peint

---

mauvaises langues, personnes qui disent toujours du mal des autres.

rez-de-chaussée, partie d'une maison où l'on entre sans avoir à monter un escalier.

artificiel, qui n'est pas naturel.

8

able quand on pénètre dans la salle à manger où la table, couverte d'une *toile cirée* aussi vieille que sale, s'harmonise avec le buffet où sont rangées les assiettes aux bords cassés ; partout une impression de désordre indescriptible avec, çà et là, des carafes, des serviettes de *pensionnaires*, des lampes, et tout ce que le temps est capable d'*entasser* d'objets *encombrants* et inutiles.

C'est là pourtant que se retrouvaient dix-huit personnes pour le repas du soir. Parmi ces dernières, sept seulement étaient les pensionnaires de Madame Vauquer ; les autres, des étudiants pour la plupart, ne venaient que pour ce repas, et Madame Vauquer ne les aimait guère, trouvant qu'ils mangeaient trop de pain.

En 1819, à l'époque où commence ce drame, ils sont sept, en effet, ceux qui, « enfants gâtés » de la Maison Vauquer, se retrouvent entre eux dans la salle à manger, pour le repas du matin : Madame Couture habite l'un des deux appartements du 1er étage, le meilleur, l'autre étant occupé par Mme Vauquer. Mme Couture partage son appartement avec une pauvre jeune fille, la première que l'on ait vue depuis longtemps en ces lieux, Victorine Taillefer, parente éloignée dont la brave femme prenait soin depuis que la malheureuse avait perdu sa mère. La pension de Mme Couture est de dix-huit cents francs par mois.

---

toile cirée, tissu recouvert d'une couche protectrice.

pensionnaire, personne qui habite dans une pension et qui paie un prix fixe pour ses repas et sa chambre.

entasser, réunir trop de choses en un seul endroit.

encombrant, qui gêne et qui prend de la place.

Les deux appartements du deuxième sont occupés par des hommes : l'un est un vieillard *insignifiant* : M. Poiret ; l'autre un personnage d'une quarantaine d'années, se prétendant ancien commerçant : M. Vautrin. Chacun d'eux paie neuf cents francs par mois.

Au troisième, quatre chambres, la première occupée par une *vieille fille* : Mlle Michonneau, l'autre par un vieillard, ancien industriel : le père Goriot. La troisième et la quatrième sont destinées aux « *oiseaux de passage* », aux étudiants trop pauvres pour vivre ailleurs. Seule la troisième sert actuellement d'abri à un *locataire*, un jeune homme venu d'Angoulême, étudiant en droit : Eugène de Rastignac. Ceux-là ne paient que quarante-cinq francs par mois.

Sous le toit, dans deux petites chambres, couchent le *garçon de peine*, Christophe et la grosse Sylvie, la *cuisinière*.

Mme Vauquer distribuait avec une grande précision les soins et les égards dus à ses pensionnaires d'après le chiffre de la pension modeste qu'ils lui remettaient tous les mois, et qui était la mesure avec laquelle on pouvait calculer le poids de leur pauvreté.

Aussi le spectacle désolant que présentait l'intérieur de cette maison se répétait-il dans les vêtements de ses locataires. Les hommes portaient des *redingotes*

---

insignifiant, qui n'a pas beaucoup de caractère ou d'intérêt.

vieille fille, femme d'un certain âge, non mariée.

oiseau de passage, personne qui reste plus ou moins longtemps en un lieu.

locataire, celui qui loue un appartement ou une chambre.

garçon de peine, celui qui fait les travaux les plus pénibles d'une maison.

cuisinier, -ère, personne qui fait la cuisine.

dont la couleur était devenue *problématique*, les femmes avaient des robes *usées*, des *dentelles* trouées. Ces pensionnaires faisaient tous *pressentir* des drames accomplis ou en action; non pas de ces drames que l'on voit au théâtre, mais des drames vivants et muets, des drames continus.

La plus heureuse de ces âmes désolées était Mme Vauquer. Pour elle seule, cette maison jaune et triste, qui sentait mauvais, avait du charme. Ces pièces lui appartenaient. Où ces pauvres pensionnaires auraient-ils trouvé, dans Paris, au prix qu'ils donnaient, une nourriture saine et suffisante, et un appartement, sinon élégant, du moins propre?

Deux figures formaient un contraste frappant avec la masse des pensionnaires et des *habitués*. Quoique la pâleur de Mlle Victorine Taillefer ressemblât à celle d'une jeune fille atteinte d'une maladie grave et qu'à cette souffrance générale se rattachât une tristesse habituelle, son visage n'était pas vieux, ses

redingote

dentelle

problématique, qui pose un problème quant à sa définition.
user, mettre en mauvais état par un emploi constant.
pressentir, soupçonner.
habitué, ici: qui a l'habitude de venir prendre le repas du soir à la maison Vauquer.

11

mouvements et sa voix étaient vifs. Ses cheveux d'un blond jaune, sa taille trop mince, exprimaient cette grâce que les poètes modernes trouvent aux statuettes du moyen âge. Ses vêtements simples trahissaient des formes jeunes : elle était jolie. Si la joie d'un bal avait reflété ses couleurs roses sur ce visage si pâle ; si les douceurs d'une vie élégante avaient rempli ces joues déjà légèrement creusées ; si l'amour avait *ranimé* ces yeux tristes comme son histoire, Victorine aurait pu rivaliser avec les plus belles.

Son père était très riche, mais, croyant avoir des raisons pour ne pas la reconnaître, il refusait de la garder près de lui. Il ne lui accordait que six cents francs par an et il l'avait *déshéritée,* afin de pouvoir transmettre la totalité de sa fortune à son fils. Mme Couture menait Victorine à la messe tous les diman-ches, afin d'en faire, à tout hasard, une fille *pieuse.* Elle avait raison, car les sentiments religieux offraient un avenir à cette enfant qui aimait son père et qui tous les ans allait chez lui pour y apporter le pardon de sa mère ; mais qui, tous les ans, se trouvait devant une porte fermée. Son frère, lui, n'était pas venu la voir une seule fois en quatre ans, et ne lui envoyait aucun secours. Elle suppliait Dieu d'ouvrir les yeux de son père, d'émouvoir le cœur de son frère, et priait pour eux sans les accuser.

Eugène de Rastignac, l'autre jeune pensionnaire de la Maison Vauquer, était un de ces jeunes gens qui se prépare une belle destinée, et sans ses observations

---

ranimer, redonner de la vie.
déshériter, priver quelqu'un de sa part d'héritage.
pieux, qui croit en Dieu et pratique sa religion.

curieuses et l'adresse avec laquelle il savait s'introduire dans les salons de Paris, ce drame n'eût pas
été coloré de tons vrais. Il avait un visage tout *méridional*, la peau blanche, des cheveux noirs, des yeux
bleus. Ses manières, sa façon de se conduire indi-
quaient le fils d'une famille noble, son éducation
montrait des traditions de bon goût. Si les jours ordi-
naires il portait les vêtements de l'an passé, quelquefois il pouvait sortir *mis* comme un jeune homme
élégant.

Entre ces deux personnages et les autres, Vautrin,
l'homme de quarante ans, servait d'*intermédiaire*. Il
était bel homme, avait les épaules larges, les muscles
bien développés. Sa figure était *ridée* et offrait des
signes de dureté, tandis que sa voix était basse et fort
agréable. Il était toujours prêt à rendre service ; ainsi
c'était lui qui se chargeait des réparations diverses
dans la maison Vacquer en disant: « *Je m'y connais.*»
Il connaissait tout d'ailleurs, la mer, la France,
l'étranger, les affaires, les hommes, les lois, les hô-
tels ... et les prisons. Si quelqu'un se plaignait, il lui
offrait aussitôt ses services. Il avait prêté plusieurs
fois de l'argent à Mme Vauquer et à quelques pensionnaires ; mais les gens seraient morts plutôt que de
ne pas le lui rendre, tant il inspirait la crainte, malgré
son air bonhomme. Comme un juge sévère, son œil
semblait aller au fond de toutes les questions, de

---

méridional, qui vient du Midi de la France.

mis, habillé.

intermédiaire, personne qui sert de contact entre deux personnes ou deux groupes.

ridé, marqué.

s'y connaître (en qc), savoir bien faire.

toutes les consciences, de tous les sentiments. Ses habitudes consistaient à sortir après le déjeuner, à revenir pour dîner, à partir pour toute la soirée, et à rentrer vers minuit à l'aide d'un *passe-partout* que lui avait confié Mme Vauquer. Lui seul jouissait de cette faveur.

Attirée, peut-être inconsciemment, par la force de l'un ou par la beauté de l'autre, Mlle Taillefer partageait ses regards et ses pensées secrètes entre cet homme de quarante ans et le jeune étudiant ; mais aucun d'eux ne paraissait penser à elle, quoique d'un jour à l'autre le hasard pût changer sa position et la rendre un riche parti.

La vieille demoiselle Michonneau avait un regard blanc qui donnait froid, une figure sèche qui menaçait. M. Poiret, lui, était une espèce de mécanique, un de ces hommes qui passe inaperçu dans la rue, un ancien petit employé de bureau. Le beau Paris ignore ces figures pâles de souffrances morales ou physiques.

Le père Goriot, vieillard de soixante-neuf ans environ, s'était retiré chez Mme Vauquer, en 1813, après avoir quitté les affaires. Il y avait d'abord pris l'appartement occupé par Mme Couture, et donnait alors douze cents francs de pension, en homme pour qui cinq *louis* de plus ou de moins étaient un détail. Le père Goriot, qui vers cette époque était respectueusement nommé M. Goriot, vint avec la *garde-robe* magnifique de l'homme d'affaires qui ne se refuse rien en se retirant du commerce. Mme Vauquer avait

---

passe-partout, clef qui permet d'ouvrir plusieurs portes.
louis, ancienne monnaie d'or française.
garde-robe, tous les vêtements d'une personne.

admiré dix-huit chemises de la meilleure qualité, et tous les jours il mettait un *gilet* blanc duquel sortait une lourde chaîne d'or. Aussi les yeux de la veuve s'allumèrent, quand elle l'aida à ranger la nombreuse *argenterie* de son ménage dont il ne voulait pas se débarrasser. « Ceci, dit-il à Mme Vauquer en lui montrant une petite *écuelle* en argent, est le premier cadeau que m'a fait ma femme le jour de notre anniversaire. Elle y avait consacré toutes ses *économies* de demoiselle. Voyez-vous, madame ? j'aimerais mieux creuser le sol avec mes ongles que de me séparer de cela. Dieu merci! je pourrai prendre dans cette écuelle mon café tous les matins durant le reste de mes jours. Je ne suis pas à plaindre, je *suis à l'abri du besoin* pour longtemps.» Enfin, Mme Vauquer avait bien vu, sur le grand-livre de M. Goriot, quelques chiffres qui, vaguement additionnés, pouvaient lui faire un *revenu* d'environ huit à dix mille francs.

argenterie

gilet

écuelle

économies, l'argent que l'on a mis de côté.
être à l'abri du besoin, ne pas avoir de soucis d'argent.
revenu, ce que rapporte un capital.

Dès ce jour, Mme Vauquer, née de Conflans, qui avait alors quarante-huit ans mais qui n'en acceptait que trente-neuf, eut des idées. Quoique les yeux de Goriot parussent un peu triste, elle lui trouva l'air agréable et comme il faut. Ce devait être un homme solidement bâti, capable de dépenser tout son esprit en sentiments. Le soir, elle se coucha en faisant de jolis rêves où se réalisait son seul désir, celui de se marier, vendre sa pension, donner le bras à cette fine fleur de la bourgeoisie, devenir une dame honorée dans le quartier.

Dès ce jour, et pendant environ trois mois, la veuve Vauquer alla souvent chez le coiffeur, et fit quelques frais de toilette sous le prétexte de donner à sa maison une certaine atmosphère en harmonie avec les personnes honorables qui y vivaient.

Aussi se mit-elle à distribuer des brochures, en tête desquelles se lisait : « MAISON VAUQUER, une des plus anciennes et des plus estimées pensions bourgeoises du Quartier Latin ». Elle y parlait de la vue agréable sur la vallée des Gobelins, du joli jardin, du bon air et de la solitude. Un jour, cette brochure lui amena Mme la comtesse de l'Ambermesnil, femme de trente-six ans qui attendait le règlement d'une pension qui lui était due en qualité de veuve d'un général mort sur les champs de bataille.

Dès lors, Mme Vauquer *soigna sa table*, fit du feu dans les salons pendant près de six mois, et tint les promesses de sa brochure.

Devenues de grandes amies, les deux veuves montaient souvent, après le dîner, dans la chambre de

---

soigner sa table, servir des plats riches et fins.

Mme Vauquer où elles se faisaient de petites confidences en buvant de la liqueur et en mangeant des sucreries réservées à la bouche de la propriétaire. C'est là que Mme de l'Ambermesnil lui *dévoila,* dès le premier jour, qu'elle avait deviné les vues de Mme Vauquer sur M. Goriot, vues qu'elle approuva d'ailleurs largement. Elles firent des courses ensemble, car, d'après la comtesse, la veuve avait une façon de s'habiller qui ne correspondait pas tout à fait avec ses prétentions. Ensuite, les achats terminés, les deux amies trouvèrent que Mme Vauquer avait tellement changé à son avantage qu'elles décidèrent de faire le premier pas auprès de M. Goriot. Après bien des *tentatives* vaines, Mme de l'Ambermesnil réussit enfin à avoir une conversation avec lui au sujet de la veuve. Cependant, le commerçant se montra totalement insensible, et la comtesse revint révoltée.

– Mon ange, dit-elle à sa chère amie, vous n'obtiendrez rien de cet homme-là. Il est ridicule et *méfiant,* il ne vous causera que du chagrin.

On ne sait pas très bien ce qui s'était passé entre M. Goriot et Mme de l'Ambermesnil lors de cet entretien, mais le lendemain la comtesse partit en oubliant de payer six mois de pension, et malgré les recherches de Mme Vauquer il fut impossible d'avoir des renseignements sur elle. Personne ne connaissait de comtesse du nom de l'Ambermesnil.

Mme Vauquer considéra l'honnête commerçant

---

dévoiler, révéler un secret.

tentative, action par laquelle on essaie de faire réussir une chose souvent difficile.

méfiant, qui manque de confiance.

comme la cause de cette perte, et commença dès lors à être moins enthousiaste à son égard.

Pendant la première année, Goriot avait l'habitude de dîner dehors une ou deux fois par semaine. Puis, soudainement, il en arriva à ne plus dîner en ville que deux fois par mois. A la fin de la deuxième année, au grand mécontentement de Mme Vauquer, M. Goriot lui demanda de passer au second étage, et de réduire sa pension à neuf cents francs. Puis, pour faire des économies, il ne fit plus de feu chez lui pendant l'hiver. C'est à cette époque que la veuve commença à l'appeler le *père* Goriot.

Questions

1. Quelle impression d'ensemble produit la description détaillée du décor dans ce chapitre?

2. Pourquoi Balzac met-il spécialement en relief la personne de Mme Vauquer?

3. Pourquoi les sentiments de Mlle Taillefer peuvent-ils hésiter entre Vautrin et Rastignac?

4. En quoi le personnage de Mme d'Ambermesnil sert-il à faire mieux voir la vanité de Mme Vauquer?

5. Comment Balzac s'y prend-il pour annoncer la défaveur du père Goriot?

---

père, ici: terme un peu méprisant pour caractériser un homme d'un certain âge.

2

Quelques mois après le départ de la fausse comtesse,
une chose étrange se passa dans la maison Vauquer.
Un matin, avant de se lever, la veuve entendit dans
son escalier le bruit d'une robe en soie et le pas léger
d'une femme jeune qui se précipitait chez Goriot.
Aussitôt la grosse Sylvie vint dire à sa maîtresse
qu'une fille trop jolie pour être honnête, habillée de
vêtements de luxe, s'était présentée chez elle, dans
la cuisine, et lui avait demandé l'appartement de M.
Goriot. Mme Vauquer et sa cuisinière se mirent à
écouter derrière la porte et entendirent, à leur grande
surprise, plusieurs mots tendrement prononcés. La
visite dura quelque temps, et quand M. Goriot raccompagna la dame, la grosse Sylvie prit aussitôt son
panier comme pour aller au marché, et suivit le
couple amoureux.

– Madame, dit-elle à sa maîtresse en revenant, il
faut que M. Goriot soit très riche tout de même pour
fréquenter des dames pareilles. Figurez-vous qu'il y
avait, au coin de la rue, un magnifique *équipage* dans
lequel elle est montée.

panier

---

fréquenter, ici: avoir des relations sentimentales avec quelqu'un.
équipage, voiture de luxe, à chevaux.

Le soir, au dîner, l'attitude de Mme Vauquer envers Goriot avait déjà changé, et elle lui accorda un soin spécial à table : ainsi alla-t-elle tirer le rideau pour empêcher qu'il ne fût gêné par le soleil dont un rayon lui tombait sur les yeux.

– Vous êtes aimé des belles, monsieur Goriot, le soleil vous cherche, dit-elle, comme pour faire une remarque sur la visite qu'il avait reçue. Mon Dieu ! vous avez bon goût, elle était bien jolie.

– C'était ma fille, dit-il avec une sorte d'orgueil.

Un mois après cette visite, M. Goriot en reçut une autre. Sa fille qui, la première fois, était venue en toilette du matin, vint après le dîner et habillée comme pour aller dans *le monde*. Les pensionnaires, occupés à causer dans le salon, purent voir une jolie blonde, mince de taille et beaucoup trop distinguée pour être la fille d'un père Goriot.

– En voilà une autre ! dit la grosse Sylvie qui ne la reconnut pas.

Quelques jours après, une autre fille, grande et bien faite, brune à *l'œil vif*, demanda M. Goriot.

– En voilà une troisième ! dit Sylvie.

Cette seconde fille, qui la première fois était aussi venue voir son père le matin, vint quelques jours après, le soir, en toilette de bal et en voiture.

– Et une quatrième ! dirent Mme Vauquer et la grosse Sylvie en même temps.

Goriot payait encore douze cents francs de pension, et Mme Vauquer trouva tout naturel qu'un homme

---

le monde, ici : la haute société.

l'œil vif (avoir), qualité d'une personne au regard animé et intelligent.

riche eût quatre ou cinq maîtresses, et trouva même très bien l'idée de les faire passer pour ses filles. Seulement, comme ces visites lui expliquaient l'indifférence de son pensionnaire à son égard, elle se permit, quand il tomba dans les neuf cents francs, de lui demander ce qu'il comptait faire de sa maison, en voyant descendre une de ces dames. Le père Goriot lui répondit que cette dame était sa fille aînée.

– Vous en avez donc trente-six, des filles ? dit Mme Vauquer d'un ton amer.

– Je n'en ai que deux, répondit le pensionnaire avec douceur.

Vers la fin de la troisième année, le père Goriot réduisit encore ses dépenses, montant au troisième étage et se mettant à quarante-cinq francs de pension par mois. Il *se passa de* tabac et ne soigna plus sa toilette. Son visage, que des chagrins secrets avaient rendu cruellement plus triste de jour en jour, semblait le plus désolé de tous ceux que l'on voyait autour de la table. Ses diamants, sa chaîne en or, ses bijoux, disparurent un à un. Ses vêtements étaient vieux et usés, et il devint progressivement maigre.

Durant la quatrième année, il ne se ressemblait plus. Ses yeux bleus si vifs devinrent gris, ils avaient pâli, et leurs coins rouges semblaient pleurer du sang. Aux uns, il *faisait horreur* ; aux autres, il faisait pitié.

Un soir, après le dîner, Mme Vauquer lui avait dit d'un ton ironique :

– Eh bien, elles ne viennent donc plus vous voir, vos filles ?

---

se passer de, ne plus utiliser; vivre sans.
faire horreur, ici: faire peur.

— Elles viennent quelquefois, répondit-il d'une voix émue. Il n'avait pas compris que Mme Vauquer mettait en doute sa *paternité*. D'après elle, si vraiment il avait des filles aussi riches que paraissaient l'être les dames qui étaient venues le voir, il ne serait pas dans la Maison Vauquer, au troisième, à quarante-cinq francs par mois, et n'irait pas vêtu comme un pauvre. Et, vers la fin du mois de novembre 1819, rien ne pouvait *démentir* ce raisonnement.

Questions

1. Quels traits inconnus du caractère de Mme Vauquer sont désignés dans ce chapitre ?

2. Le père Goriot semble-t-il dire la vérité quand il parle de ses filles ?

3. Par quels détails Balzac montre-t-il que le père Goriot lui est sympathique ?

4. Quels sont les détails qui font du portrait du père Goriot un portrait vivant ?

5. Y-a-t-il du bon sens dans les réflexions de Mme Vauquer sur les richesses des filles du père Goriot qui lui font croire qu'il n'est pas vraiment leur père ?

---

paternité, qualité de père par rapport à ses enfants.
démentir, dire ou montrer qu'une chose est fausse.

3

Eugène de Rastignac avait commencé, lors de sa première année de séjour à Paris, à goûter les plaisirs
du Paris matériel, car le peu de travail qu'il avait à
la Faculté lui laissait beaucoup de liberté. L'étudiant
avait donc consacré la plupart de son temps à aller
au théâtre, étudier les usages, apprendre le beau
langage, découvrir les richesses des musées. Ses illusions d'enfance, ses idées de province avaient disparu.

Son père, sa mère, ses deux frères, ses deux sœurs
et une tante dont la fortune consistait en pensions,
vivaient sur la petite terre de Rastignac. Ce domaine,
d'un revenu d'environ trois mille francs, était soumis
à un avenir incertain, et pourtant il fallait en tirer
chaque année douze cents francs pour les envoyer à
Eugène à Paris.

Si d'abord il voulut se jeter *à corps perdu* dans le
travail, il comprit bientôt la nécessité de se créer des
relations. Il avait remarqué combien les femmes ont
de l'influence sur la vie sociale, et décida soudain de
se lancer dans le monde, afin d'y conquérir des *pro-
tectrices*. Et elles ne devaient pas manquer à un jeune
homme vif et spirituel, beau et élégant.

Sa tante, Mme de Marcillac, avait autrefois été
présentée à *la cour*, et y avait connu des personnes
aristocratiques. Tout à coup, le jeune ambitieux se

à corps perdu, avec beaucoup d'enthousiasme.

protectrice, femme qui protège un jeune homme sans fortune,
et l'introduit dans la société.

la cour, l'entourage du roi.

souvint des histoires qu'elle lui avait racontées quand il était enfant, et il lui posa des questions sur les liens de *parenté* qui pourraient lui servir. La vieille dame écrivit ensuite à Mme la vicomtesse de Beauséant, et assura à Eugène que la vicomtesse lui ferait retrouver ses autres parents. Quelques jours plus tard, le jeune étudiant reçut une invitation pour le bal de Mme de Beauséant.

Le lendemain du bal, Eugène rentra vers deux heures du matin. Afin de regagner le temps perdu, il s'était promis, en dansant, de travailler toute la nuit. Il arriva à la maison Vauquer au moment où Christophe avait ouvert la porte et regardait dans la rue avant de refermer à clef. Ainsi, il put monter dans sa chambre sans faire de bruit, suivi de Christophe qui en faisait beaucoup. Eugène *se déshabilla*, se mit en *pantoufles*, prit une vieille redingote, alluma son feu, et se prépara tranquillement au travail. Il resta *pensif* pendant quelques moments avant de se plonger dans ses livres de droit. Il venait de reconnaître en Mme la vicomtesse de Beauséant l'une des reines de la mode à Paris, et dont la maison *passait pour* être la plus agréable du *faubourg Saint-Germain*. Elle était d'ailleurs, et par son nom et par sa fortune, l'un des

pantoufle

---

parenté, liaison entre personnes de la même famille.

se déshabiller, enlever ses habits.

pensif, qui est occupé par une pensée précise.

passer pour, être considéré comme.

faubourg Saint-Germain, endroit où se trouvaient, au XIXᵉ siècle, les demeures les plus aristocratiques.

grands personnages du monde aristocratique. Grâce à sa tante de Marcillac, le pauvre étudiant avait été bien reçu dans cette maison, sans connaître la grandeur de cette faveur : en se montrant dans cette société, la plus exclusive de toutes, il avait conquis le droit d'aller partout.

Fortement impressionné par cette brillante assemblée, et ayant à peine échangé quelques paroles avec la vicomtesse, Eugène avait remarqué, parmi une foule de ravissantes parisiennes, une de ces femmes qui attirent tout d'abord les jeunes hommes. La comtesse Anastasie de Restaud, grande et bien faite, et qui passait pour avoir l'une des plus jolies tailles de Paris. Figurez-vous de grands yeux noirs, une main magnifique, du feu dans les mouvements, une femme qu'on pouvait comparer à un cheval pur sang. Deux fois il avait dansé avec elle, et pendant la valse il avait pu lui parler.

— Où vous rencontrer désormais, madame ? lui avait-il dit brusquement avec cette force de passion qui plaît tant aux femmes.

— Mais, dit-elle, au Bois, à l'Opéra, chez moi, partout.

En se disant cousin de Mme de Beauséant, il fut invité par cette femme, qu'il prit pour une grande dame, et *eut ses entrées* chez elle.

Etre jeune, avoir soif du monde, et voir s'ouvrir pour soi deux maisons ! mettre le pied au faubourg Saint-Germain chez la vicomtesse de Beauséant, le genou à la Chaussée d'Antin chez la comtesse de Restaud ! plonger d'un regard dans les salons de

---

avoir ses entrées, avoir le privilège d'être reçu.

Paris, et se croire assez beau garçon pour y trouver
aide et protection dans un cœur de femme !

Soudain, Eugène fut dérangé dans ses rêves par
un soupir. Il ouvrit doucement la porte, et quand il
fut dans le corridor, il aperçut un trait de lumière
sous la porte du père Goriot. Craignant que son voisin ne soit malade, il approcha son œil de la *serrure*
pour regarder dans la chambre, et vit le vieillard occupé à d'étranges travaux. Au bout d'un moment, il
comprit que le père Goriot était en train de sculpter
une masse d'argent pour ensuite la transformer en
vermeil. Cette opération exigeait une telle force de
la part du vieillard que les larmes sortaient de ses
yeux, et Eugène l'entendit se coucher en poussant un
soupir.

---

serrure, trou dans la porte où l'on met la clef.
vermeil, argent doré.

— Il est fou, pensa l'étudiant.

— Pauvre enfant ! dit à haute voix le père Goriot.

A cette parole, Rastignac jugea prudent de garder le silence sur cet événement, et il allait rentrer quand il distingua soudain un bruit assez difficile à définir, et qui ne pouvait être produit que par un homme en chaussettes montant l'escalier. Eugène *prêta l'oreille*, et reconnut en effet la respiration d'un homme. Sans avoir entendu ni le bruit de la porte ni celui des pas, il vit tout à coup une faible lumière au second étage, chez M. Vautrin.

— Voilà bien des mystères dans cette pension bourgeoise ! se dit-il. C'est singulier, car Christophe avait pourtant fermé à clef.

Ensuite, Eugène rentra dans sa chambre pour travailler, mais ces petits événements l'avaient distrait, et au bout d'un certain temps, il se coucha. Sur dix nuits promises au travail par les jeunes gens, ils en donnent sept au sommeil. Il faut avoir plus de vingt ans pour *veiller*.

---

prêter l'oreille, écouter attentivement.
veiller, se priver de sommeil.

Questions

1. Par quels signes particuliers, Balzac, dans sa description de Rastignac étudiant, montre-t-il que c'est une vie qu'il connaît pour l'avoir vécue lui-même ?

2. Comment imaginez-vous le faubourg Saint-Germain d'après ce que dit Rastignac le lendemain du bal ?

3. Quels sont les mots ou les expressions de ce chapitre qui montrent l'ambition de Rastignac ?

4. Comment Balzac réussit-il à donner à son récit un aspect dramatique ?

5. En quoi la réaction de Rastignac quand il s'endort est-elle une preuve de l'insouciance de la jeunesse ?

4

Le lendemain régnait à Paris un de ces épais *brouil-
lards* qui l'enveloppent si bien que même les gens
les plus exacts sont trompés sur le temps. Chacun se
croit à huit heures quand midi sonne.

Il était neuf heures et demie. Mme Vauquer n'avait
pas encore bougé de son lit. Christophe et la grosse
Sylvie, qui étaient également en retard, prenaient
tranquillement leur café. Pour une fois, ils avaient
largement le temps de discuter. A ce moment, Mme
Vauquer se montra dans la cuisine.

— Comment, Sylvie, voilà dix heures moins le
quart, et vous m'avez laissée dormir comme une *marmotte*. Jamais une chose pareille ne m'est arrivée.

— C'est le brouillard, madame, qui est à couper au
couteau.

On sonna alors, et Vautrin entra en chantant de sa
grosse voix.

— Oh! oh! bonjour, maman Vauquer, dit-il en
apercevant l'hôtesse. Tenez, je viens de voir quelque
chose de singulier.

— Quoi? dit la veuve.

— Le père Goriot était à huit heures et demie rue
Dauphine, chez l'*orfèvre* qui achète de vieux *couverts*.

---

brouillard, vapeur d'eau répandue dans l'air qui empêche de
voir.

marmotte, petit animal qui reste endormi pendant l'hiver.
Ici: *dormir comme une marmotte* signifie dormir profondément.

orfèvre, personne qui fait ou vend toute sorte d'ouvrages en
or et en argent.

couvert, fourchette, couteau et cuiller.

Il lui en a vendu pour une bonne somme, après quoi il est remonté dans ce quartier, où il est entré dans la maison d'un *usurier* connu, nommé Gobseck.

— Qu'est-ce que fait donc ce père Goriot?

— Il ne fait rien, dit Vautrin, il se défait. Il est assez bête pour se ruiner à aimer des filles qui . . .

— Le voilà! dit Sylvie.

— Christophe, cria le père Goriot, monte avec moi. Christophe suivit le père Goriot, et redescendit aussitôt.

— Où vas-tu? dit Mme Vauquer à son *domestique*.

— Faire une *commission* pour M. Goriot.

— Qu'est-ce que c'est que ça? dit Vautrin en arrachant des mains de Christophe une lettre sur laquelle il lut : A madame la comtesse Anastasie de Restaud. Et où vas-tu ? reprit-il en rendant la lettre à Christophe.

— Rue du Helder. J'ai ordre de ne remettre ceci qu'à Mme la comtesse.

— Qu'est-ce qu'il y a là-dedans? dit Vautrin en mettant la lettre au jour. Un *billet acquitté*? non. Dites donc, il est galant, le vieux.

Le couvert était mis pour le déjeuner, et quand tout fut prêt, Mme Couture et Mlle Taillefer entrèrent.

— D'où venez-vous donc de si bonne heure, ma belle dame? dit Mme Vauquer à Mme Couture.

— Nous sommes allées à l'église pour prier, car

---

usurier, celui qui prête de l'argent et se fait rembourser beaucoup plus cher.

domestique, personne attachée au service d'une maison.

commission, service que l'on rend à quelqu'un.

billet acquitté, facture payée.

nous devons aller ajourd'hui chez M. Taillefer. Pauvre petite, elle tremble comme une feuille, reprit Mme Couture en regardant la jeune fille et en s'asseyant devant le feu.

– Chauffez-vous donc, Victorine, dit Mme Vauquer.

– C'est bien, mademoiselle, de prier le bon Dieu d'émouvoir le cœur de votre père, dit Vautrin en avançant une chaise à l'*orpheline*. Il vous faudrait un ami qui se chargerait de dire la vérité à ce sauvage qui a, dit-on, trois millions, et qui ne vous donne pas de *dot*. Une belle fille a besoin de dot ces temps-ci.

– Pauvre enfant, dit Mme Couture, si seulement nous pouvions le voir, si je pouvais lui parler, lui remettre la dernière lettre de sa femme...

– O femmes innocentes et malheureuses, s'écria Vautrin en les interrompant, voilà donc où vous en êtes. Bientôt je me mêlerai de vos affaires, et tout ira bien.

– Oh! monsieur, dit Victorine en le regardant avec des yeux pleins de larmes, si vous saviez un moyen d'arriver à mon père, dites-lui bien que son affection et l'honneur de ma mère me sont plus précieux que toutes les richesses du monde...

A ce moment, Goriot, Mlle Michonneau et Poiret descendirent, attirés peut-être par l'odeur de cuisine. Au moment de se mettre à table, dix heures sonnèrent, et l'on entendit dans la rue le pas de l'étudiant. Celui-ci entra, salua les pensionnaires, et s'assit auprès du père Goriot.

---

orphelin, enfant qui a perdu l'un de ses parents ou les deux.
dot [dɔt], bien qu'une jeune fille apporte au mariage.

– Il vient de m'arriver une étrange aventure, dit-il en se servant et se coupant un morceau de pain que Mme Vauquer mesurait toujours de l'œil.

– Une aventure ! dit Poiret.

– Eh bien, pourquoi vous en étonneriez-vous, *vieux chapeau* ? dit Vautrin à Poiret. Monsieur est bien fait pour en avoir.

Mlle Taillefer jeta un regard *timide* sur le jeune étudiant.

– Dites-nous votre aventure, demanda Mme Vauquer.

– Hier, j'étais au bal chez Mme la vicomtesse de Beauséant, une cousine à moi qui possède une maison magnifique, et qui nous a donné une fête superbe, où je me suis amusé comme un roi. A la fin, je danse avec une des plus belles femmes du bal, une comtesse très jolie, qui était coiffée avec des fleurs naturelles, bref, la plus ravissante créature que j'aie jamais vue. Eh bien, ce matin je l'ai rencontrée, à pied, près d'ici. Oh ! le cœur m'a battu, je me figurais...

– Qu'elle venait ici, dit Vautrin en jetant un regard profond à l'étudiant. Elle allait sans doute chez le *papa* Gobseck, un usurier. Eh bien, je peux vous le dire, votre comtesse s'appelle Anastasie de Restaud, et demeure rue du Helder.

A ce nom, l'étudiant regarda fixement Vautrin. Le père Goriot leva brusquement la tête, et jeta sur les deux hommes un regard plein d'inquiétude, qui surprit les pensionnaires.

---

vieux chapeau, terme de mépris ironique = vieil homme sans esprit.

timide, qui manque d'assurance.

papa, terme familier pour père.

– Christophe arrivera trop tard, elle y sera donc allée, s'écria douloureusement Goriot.

– J'ai deviné, dit Vautrin en se penchant à l'oreille de Mme Vauquer.

Goriot mangeait machinalement et sans savoir ce qu'il mangeait. Jamais il n'avait semblé plus distrait qu'il ne l'était en ce moment.

– Qui diable, monsieur Vautrin, a pu vous dire son nom ? demanda Eugène.

– Ah! ah! voilà, répondit Vautrin. Le père Goriot le savait bien, lui! pourquoi ne le saurais-je pas ?

– M. Goriot, s'écria l'étudiant.

– Quoi ! dit le pauvre vieillard. Elle était donc bien belle hier ?

– Qui ?

– Mme de Restaud.

– Oh! oui, elle était furieusement belle, reprit Eugène. Si Mme de Beauséant n'avait pas été là, ma ravissante comtesse eût été la reine du bal ; les jeunes gens n'avaient d'yeux que pour elle. Si une créature a été heureuse hier, c'était bien elle.

– Hier, en haut de la roue, chez une duchesse, dit Vautrin ; ce matin, *en bas de l'échelle,* chez un usurier : voilà les Parisiennes.

Le visage du père Goriot, qui s'était allumé comme le soleil en entendant l'étudiant, devint sombre à cette observation de Vautrin.

– Eh bien, dit Mme Vauquer, où est donc votre aventure ? Lui avez-vous parlé ?

– Elle ne m'a pas vu, dit Eugène. Mais rencontrer

---

en bas de l'échelle (être), expression qui signifie être de situation sociale inférieure.

une des plus jolies femmes de Paris, dans ce quartier-ci, à pied, et de si bonne heure, une femme qui a dû rentrer du bal à deux heures du matin, n'est-ce pas étrange ? Il n'y a que Paris pour ces aventures-là.

Mlle Taillefer avait à peine écouté, tant elle était occupée à penser à la visite qu'elle allait rendre à son père. Mme Couture lui fit signe de se lever pour aller s'habiller. Quand les deux dames sortirent, le père Goriot partit aussi.

– Eh bien, l'avez-vous vu ? dit Mme Vauquer à Vautrin et à ses autres pensionnaires. Il est clair que le père Goriot s'est ruiné pour cette femme-là.

– Jamais on ne me fera croire, s'écria l'étudiant, que la belle comtesse de Restaud appartienne au père Goriot.

– Mais, lui dit Vautrin en l'interrompant, il ne s'agit pas de vous faire croire. Vous êtes encore trop jeune pour bien connaître Paris; vous saurez plus tard qu'il y existe ce que nous appelons des hommes à passions... Le père Goriot en est un. La comtesse l'*exploite* parce qu'il est discret, et le pauvre bonhomme ne pense qu'à elle. Cette histoire est claire comme la lune : suivez-moi bien ! Il a porté ce matin du vermeil chez un orfèvre, et je l'ai vu entrant ensuite chez le papa Gobseck. En revenant, il a envoyé Christophe chez la comtesse de Restaud avec une lettre dans laquelle il y avait un billet acquitté. Si la comtesse est allée chez l'usurier ce matin, c'est que l'affaire pressait. Le père Goriot a donc galamment payé pour elle. Cela vous prouve, mon jeune étudiant, que, pendant que votre comtesse riait, dansait, et

---

exploiter, profiter abusivement de quelqu'un.

balançait ses fleurs, elle *était dans ses petits souliers,*
comme on dit, en pensant à ses *lettres de change* ou
à celles de son amant.

— Vous me donnez une furieuse envie de savoir la
vérité. J'irai demain chez Mme de Restaud, s'écria
Eugène.

Questions

1. Que peut-on penser de Vautrin d'après ce chapitre ?

2. Quels sentiments devine-t-on chez le père Goriot
   pendant la conversation au sujet de Mme de
   Restaud ?

3. Qu'est-ce qu'un usurier, et en quoi consiste son
   travail ?

4. Quelles sont les personnes qui ont généralement
   affaire aux usuriers ?

5. Comment Balzac montre-t-il que Vautrin a une
   grande expérience du monde ?

être dans ses petits souliers, être embarrassé.

lettre de change, avis par lequel une personne invite son
débiteur à payer une certaine somme, à une date fixe.

5

A quatre heures de l'après-midi, quand le père Goriot rentra, il vit Victorine avec les yeux tout rouges. Mme Vauquer écoutait le récit de la visite faite à M. Taillefer pendant la matinée. Ayant eu assez de voir sa fille et cette vieille femme qui venaient le voir une fois par an, sans être reçues, il les avait laissées parvenir jusqu'à lui pour parler avec elles.

– Ma chère dame, disait Mme Couture à Mme Vauquer, figurez-vous qu'il n'a même pas fait asseoir Victorine qui est restée debout tout le temps. A moi, il m'a dit, sans se mettre en colère, tout froidement, de nous épargner la peine de venir chez lui. Que la mère de Victorine n'avait pas eu de fortune et que, par conséquent, la fille n'avait rien à prétendre. Ensuite, il a dit les choses les plus dures, et qui ont fait fondre en larmes cette pauvre petite. Elle s'est alors jetée aux pieds de son père et lui a dit, avec courage, qu'elle insistait uniquement à cause de l'honneur de sa mère, et qu'elle le suppliait de lire le testament de la *décédée*. Elle le lui a présenté. Mais, savez-vous ce qu'il a fait, il a pris la lettre et l'a jetée dans le feu en disant : « Ça suffit ! » Ensuite le fils est entré, sans saluer sa sœur, et puis, ils sont partis tous les deux en me saluant, et en me priant de les excuser. Voilà notre visite. Au moins, il a vu sa fille. Je ne sais pas comment il peut la *renier*, elle lui ressemble comme deux gouttes d'eau.

---

décédé, mort.
renier, déclarer, à tort, qu'on ne connaît pas une personne ou une chose. Ici: ne pas vouloir reconnaître qu'il est le père de l'enfant.

Le lendemain, Rastignac s'habilla fort élégamment, et alla, vers trois heures de l'après-midi, chez Mme de Restaud. Arrivé là-bas, le *valet de chambre* lui fit savoir que la comtesse était fort occupée, mais qu'il pouvait l'attendre au salon, où il y avait déjà quelqu'un.

Au moment de passer au salon, Eugène se trompa de porte, et se trouva tout à coup dans une salle de bains. En revenant sur ses pas, il vit s'ouvrir une porte au fond d'un long couloir, et entendit à la fois la voix de Mme de Restaud, celle du père Goriot, et le bruit d'un baiser. Ensuite, il rentra dans la salle à manger, où il rencontra le valet de chambre qui le cherchait.

– Monsieur, le salon est par ici, lui dit-il avec un faux respect qui rendit Eugène de mauvaise humeur. En traversant l'*antichambre*, il regarda un instant par la fenêtre, et s'aperçut qu'elle avait vue sur la cour. Il voulait voir si ce père Goriot était bien réelle-

valet de chambre

antichambre, pièce destinée à des personnes qui attendent avant d'être reçues.

ment « son » père Goriot. Mais le valet de chambre l'attendait à la porte du salon, d'où sortit tout à coup un élégant jeune homme qui dit :

– Je m'en vais, Maurice. Vous direz à Mme la comtesse que je l'ai attendue plus d'une demi-heure.

– Mais monsieur le comte ferait mieux d'attendre encore un instant, madame a fini, dit Maurice en retournant dans l'antichambre.

A ce moment, le père Goriot apparut près de la *porte cochère* à la sortie du petit escalier. Le bonhomme était en train d'ouvrir son parapluie, sans faire attention que la grande porte était ouverte pour donner passage à un jeune homme qui conduisait un *tilbury*. Le père Goriot n'eut que le temps de se jeter en arrière pour ne pas être écrasé. Le jeune homme détourna la tête d'un air de colère, regarda le père Goriot et lui fit, avant de sortir, un salut forcé. L'autre répondit par un salut amical. Ces événements se passèrent avec la rapidité de l'éclair. Trop attentif pour s'apercevoir qu'il n'était pas seul, Eugène entendit tout à coup la voix de la comtesse.

– Ah ! Maxime, vous vous en alliez, dit-elle avec un ton de reproche.

La comtesse n'avait pas fait attention à l'entrée du tilbury. Rastignac se retourna brusquement, et vit la comtesse vêtue d'un *peignoir* blanc, coiffée négligemment, comme le sont les femmes de Paris le matin. Quand Maxime prit sa main pour la baiser, Eugène le reconnut comme le comte Maxime de Trailles dont

---

porte cochère, grande porte qui s'ouvre en deux pour laisser entrer les voitures.

tilbury, voiture légère et découverte, tirée par un cheval.

il avait fait la connaissance au bal de Mme de Beau-séant. Alors, la comtesse aperçut Eugène.

— Ah ! c'est vous, monsieur de Rastignac, je suis bien contente de vous voir, dit-elle d'un air distrait.

Maxime regarda Eugène, puis la comtesse, d'une manière qui voulait dire : « Ah ça, ma chère, j'espère que vous allez mettre ce petit drôle à la porte.» Rastignac sentit tout de suite une haine violente pour ce jeune homme. D'abord les beaux cheveux blonds et bien coiffés de Maxime lui apprirent combien les siens étaient horribles. Puis, Maxime avait des *bottes* fines et propres, et sa redingote lui serrait élégamment la taille et le faisait ressembler à une jolie femme, tandis qu'Eugène avait, à deux heures et demie, un habit noir, et ses bottes, après avoir marché à pied, n'étaient plus très propres.

S'adressant à la comtesse, Eugène prit un air agré-able, et dit :

— Madame, j'avais hâte de vous voir pour . . .

Il s'arrêta tout court. Une porte s'ouvrit, et le mon-sieur qui conduisait le tilbury se montra soudain, sans chapeau, sans saluer la comtesse. Il regarda attentive-ment Eugène. Puis, il tendit la main à Maxime, lui disant « Bonjour » d'un ton très familier.

peignoir

botte

– Monsieur de Restaud, dit la comtesse à l'étudiant en lui montrant son mari.

Eugène *s'inclina* profondément.

– Monsieur, dit-elle en présentant Eugène au comte de Restaud, est monsieur de Rastignac, parent de madame la vicomtesse de Beauséant, et que j'ai eu le plaisir de rencontrer à son dernier bal.

– Enchanté, répondit le comte, quittant son air formel, de pouvoir faire votre connaissance.

Et, quand les deux hommes commencèrent à parler, la comtesse en profita pour entraîner le comte de Trailles dans le *boudoir*.

– Anastasie! restez donc, ma chère, s'écria son mari, vous savez bien que...

– Je reviens, je reviens, dit-elle en l'interrompant, il ne me faut qu'un moment pour parler à Maxime. J'ai quelque chose à lui demander.

Elle revint vite. Comme toutes les femmes, qui sont forcées d'observer le caractère de leurs maris pour pouvoir se conduire à leur fantaisie, elle savait jusqu'où elle pouvait aller sans perdre sa confiance.

Cinq minutes après, Maxime partit, et la comtesse le raccompagna jusqu'à la porte. Mais, avant de la quitter, il lui dit à l'oreille :

– J'espère que la prochaine fois vous empêcherez ce petit jeune homme d'entrer, car il vous ferait des déclarations, il vous *compromettrait,* et vous me forceriez à le tuer.

---

s'incliner, se pencher pour saluer quelqu'un.

boudoir, petit salon de dame.

compromettre, ici : mettre en danger la réputation d'une femme.

Quand la comtesse revint au salon, elle trouva son mari et l'étudiant en grande conversation.

— Dites-donc, ma chère, lui dit le comte, figurez-vous que la terre où demeure la famille de monsieur n'est pas loin de Verteuil, et que le grand-oncle de monsieur et mon grand-père se connaissent.

— Enchantée que vous soyez en pays de connaissance, répondit la comtesse, distraite.

— Plus que vous ne croyez, dit Eugène à voix basse.

— Comment? dit-elle vivement.

— Mais, reprit l'étudiant, je viens de voir sortir de chez vous un monsieur, avec lequel je suis porte à porte dans la même pension : le père Goriot.

A ce nom orné du mot « père », le comte fit un geste vif, et se leva.

— Monsieur, vous auriez pu dire M. Goriot ! s'écria-t-il.

La comtesse devint pâle, d'abord, en voyant l'impatience de son mari, puis elle rougit, et fut vivement embarrassée ; puis, elle répondit d'une voix qu'elle voulut rendre naturelle :

— Il est impossible de connaître quelqu'un que nous aimions mieux . . .

Elle s'interrompit, regarda son piano, et dit :

— Aimez-vous la musique, monsieur ?

— Beaucoup, répondit Eugène qui était devenu rouge par l'idée qu'il eut d'avoir commis une lourde *bêtise*.

Le comte de Restaud se promenait *de long en large*.

En prononçant le nom du père Goriot, Eugène avait

---

bêtise, parole ou action qui révèle peu d'intelligence.
de long en large, dans un sens, puis dans l'autre.

prononcé un mot magique. Le visage de Mme de Restaud était devenu sec, froid, et ses yeux fuyaient ceux du malheureux étudiant.

– Madame, finit-il par dire, vous avez à parler à M. de Restaud, veuillez accepter mes hommages, et me permettre . . .

– Toutes les fois que vous viendrez, dit la comtesse en arrêtant Eugène par un geste, vous êtes sûr de nous faire, à M. de Restaud comme à moi, le plus vif plaisir.

Eugène salua profondément le couple, et sortit suivi de M. de Restaud qui l'accompagna jusque dans l'antichambre.

– Toutes les fois que monsieur se présentera, dit-il à Maurice quand Eugène fut parti, ni madame ni moi nous n'y serons.

Questions

1. En lisant le récit de Mme Couture, quelle opinion peut-on avoir de M. Taillefer?

2. Quelles sont les raisons de l'embarras de Rastignac en présence du comte de Trailles?

3. En quoi Rastignac apparaît-il au comte de Trailles comme un rival possible?

4. Comment expliquez-vous le changement d'attitude de M. de Restaud vis-à-vis de Rastignac?

5. Que penser de ce que M. de Restaud dit à son valet après le départ de Rastignac?

6

Une fois dans la rue, Eugène n'éprouva aucune envie de rentrer à la pension, et il se décida à aller chez sa tante, la vicomtesse de Beauséant.

La vicomtesse était liée, depuis trois ans, avec un des plus célèbres et des plus riches seigneurs portugais, le marquis d'Adjuda-Pinto. Ils allaient ensemble au théâtre, à l'Opéra, toujours en compagnie de M. de Beauséant, mais celui-ci, en homme qui sait vivre, les quittait toujours après les y avoir installés. M. d'Adjuda devait se marier avec une demoiselle de Rochefide. Dans toute la haute société, une seule personne ignorait encore ce mariage, c'était Mme de Beauséant. Quelques-unes de ses amies lui en avaient bien parlé vaguement, mais elle en avait ri, croyant que ses amies voulaient troubler son bonheur.

Quand le valet de chambre de la vicomtesse annonça M. Eugène de Rastignac, le marquis était sur le point de partir. A un moment, il avait failli parler de son mariage à la vicomtesse, mais il avait fini par se dire qu'il valait mieux qu'elle apprenne la nouvelle par écrit. Si Eugène avait horriblement gêné Mme de Restaud et M. de Trailles, il *tirait d'embarras* M. d'Adjuda.

— Adieu, dit le Portugais en gagnant la porte avec hâte quand Eugène entra.

— Mais à ce soir, dit Mme de Beauséant en retour-

---

tirer d'embarras, sauver d'une situation pénible.

nant la tête et jetant un regard au marquis. N'allons-
nous pas *aux Italiens*?

– Je ne peux pas, dit-il en prenant le bouton de
la porte. Mme de Beauséant se leva, le rappela près
d'elle, sans faire la moindre attention à Eugène.

– Pourquoi, dit-elle en riant, ne pouvez-vous pas
venir aux Italiens?

– Des affaires! Je dîne ce soir chez l'ambassadeur
d'Angleterre.

– Vous partirez plus tôt.

Quand un homme trompe une femme, il est obligé
de dire mensonges sur mensonges. M. d'Adjuda dit
alors en riant:

– Vous l'exigez?

– Oui, certes.

– Voilà ce que je voulais entendre, répondit-il en
jetant un de ces fins regards qui auraient rassuré
toute autre femme. Il prit la main de la vicomtesse,
la baisa et partit.

Eugène passa la main dans ses cheveux, et fit du
bruit en croyant que Mme de Beauséant allait penser
à lui; tout à coup, elle se précipite à la fenêtre et regarde M. d'Adjuda pendant qu'il montait en voiture;
elle prête l'oreille à l'ordre, et entend le cocher répé-
ter: « Chez M. de Rochefide.» Ces mots, et la manière dont d'Adjuda se plongea dans sa voiture fut
comme l'éclair pour cette femme qui rentra aussitôt
dans sa chambre à coucher, se mit à table, et prit un
joli papier.

Du moment, écrivait-elle, ou vous dinez chez les
Rochefide, et non a l'ambassade d'Angleterre,

---

les Italiens, Comédie Italienne.

— Jacques, dit-elle à son valet de chambre, vous irez à sept heures et demie chez M. de Rochefide, et vous y demanderez le marquis d'Adjuda. Si M. le marquis y est, vous lui ferez parvenir cette lettre sans demander de réponse ; s'il n'y est pas, vous reviendrez et me rapporterez ma lettre.

— Madame la vicomtesse a quelqu'un dans son salon.

— Ah ! c'est vrai, dit-elle en poussant la porte.

Eugène commençait à se trouver très mal à l'aise. Il aperçut enfin la vicomtesse qui lui dit d'un ton qui montrait son émotion :

— Pardon, monsieur, j'avais un mot à écrire, je suis maintenant tout à vous.

Elle ne savait ce qu'elle disait, car voici ce qu'elle pensait : « Ah ! il veut épouser Mlle de Rochefide. Mais est-il donc libre ? Ce soir ce mariage sera brisé ou je... »

— Ma cousine... répondit Eugène.

— Hein ? fit la vicomtesse avec un regard froid.

— Madame, reprit-il en rougissant. Il hésita, puis il continua :

— Pardonnez-moi ; j'ai besoin de tant de protection qu'un bout de parenté n'aurait rien gâté.

Mme de Beauséant sourit, mais tristement : elle sentait déjà le malheur qui menaçait sa vie.

— Si vous connaissiez la situation dans laquelle se trouve ma famille, dit-il en continuant, vous aimeriez à jouer le rôle de la bonne fée.

— Eh bien, mon cousin, dit-elle en riant, en quoi puis-je vous être bonne ?

— Mais le sais-je ? Vous appartenir par un lien de

parenté qui se perd dans l'ombre est déjà toute une fortune. Vous m'avez troublé, je ne sais plus ce que je venais vous dire. Vous êtes la seule personne que je connaisse à Paris. C'est pourquoi je m'adresse à vous pour vous demander conseil. J'avais remarqué Mme de Restaud à votre bal, et je suis allé ce matin chez elle ...

— Vous avez dû bien la gêner, interrompit en souriant Mme de Beauséant.

— Eh oui, je ne connais rien à la vie, et un jour j'aurai tout le monde contre moi, si vous refusez votre secours. Je crois qu'il est fort difficile de rencontrer à Paris une femme jeune, belle, riche et élégante, qui soit libre, et il m'en faut une qui m'apprenne ce que vous autres femmes, vous savez si bien expliquer : la vie. Je trouverai partout un M. de Trailles. Je venais donc à vous pour vous demander de quelle nature est la bêtise que j'ai faite ce matin. Au début, tout s'est bien passé, je m'étais assez bien entendu avec le mari, je me voyais supporté par sa femme, lorsque j'ai eu le malheur de prononcer le nom d'une personne que je venais de voir sortir de la maison.

— Qui est-ce ?

— Un vieillard qui vit de deux louis par mois, dans une pension du faubourg Saint-Marceau, comme moi, pauvre étudiant ; un véritable malheureux dont tout le monde se moque, et que nous appelons le père Goriot.

— Mais, enfant que vous êtes, s'écria la vicomtesse, Mme de Restaud est une demoiselle Goriot.

— C'est son père ! reprit l'étudiant en faisant un geste d'horreur.

– Mais oui ; ce bonhomme avait deux filles dont il est presque fou, quoique les deux l'aient à peu près renié. La seconde est mariée à un banquier dont le nom est allemand, un baron de Nucingen. Elle s'appelle Delphine.

– Elles ont renié leur père, répétait Eugène.

– Eh bien, oui, leur père, un bon père qui leur a donné, dit-on, à chacune cinq ou six cent mille francs pour faire leur bonheur en les mariant bien, et qui n'a gardé que huit à dix mille livres de rente pour lui, croyant que ses filles resteraient ses filles, qu'il s'était créé chez elles deux existences, deux maisons où il serait adoré, gâté. En deux ans, ses *gendres* l'ont *banni* de leur société comme le dernier des misérables. Les filles, qui aimaient peut-être toujours leur père, l'ont reçu quand les maris n'étaient pas là. Elles ont donné, à leur père, des prétextes de tendresse. « Papa, venez, nous serons mieux, parce que nous serons seuls ! » etc. Moi, je crois que les sentiments vrais ont des yeux et une intelligence : le pauvre père a donc compris. Il a vu que ses filles avaient honte de lui ; que, si elles aimaient leurs maris, il *nuisait* à ses gendres. Il fallait donc se sacrifier. Il s'est sacrifié, parce qu'il était père : il s'est banni lui-même. En voyant ses filles contentes, il comprit qu'il avait bien fait. Le père et les enfants ont été *complices* de ce petit crime. Nous voyons cela partout. Le père Goriot n'aurait-il pas été une tache

---

gendre, le mari de la fille par rapport aux parents de celle-ci.

bannir, chasser.

nuire (à qn), faire du tort à qn.

complice, celui qui est lié à un autre par une action commune, souvent malhonnête.

47

d'huile dans le salon de ses filles ? Il y aurait été gêné, il s'y serait ennuyé. Ce père Goriot avait tout donné, pendant vingt ans, son affection, son amour ; il avait donné sa fortune en un jour. Le citron bien pressé, ses filles l'ont laissé tomber.

– Le père Goriot est extraordinaire ! dit Eugène en se souvenant de l'avoir vu travailler son vermeil, la nuit, pour payer les dettes de sa fille.

– Oui, mais le monde est méchant, répondit la vicomtesse, il faut le traiter comme il mérite de l'être. Il existe quelque chose d'encore plus horrible que le fait que les deux filles aient abandonné leur père, qu'elles le veuillent mort. C'est la rivalité des deux sœurs entre elles. Restaud est d'une famille noble, tandis que le mari de l'autre, la belle Delphine de Nucingen, est un homme d'argent. Sa femme est très jalouse de sa sœur, d'une façon telle que sa sœur n'est plus sa sœur i ces deux femmes se renient entre elles comme elles renient leur père. On vous a fermé la porte chez la comtesse parce que vous avez prononcé le nom de son père. Oui, mon cher, vous iriez vingt fois chez Mme de Restaud, vingt fois vous la trouveriez absente. Eh bien, demandez au père Goriot de vous introduire près de Mme Delphine de Nucingen. Elle vous recevra. Soyez l'homme qu'elle distingue, les femmes seront folles de vous. Ses rivales, ses meilleures amies, voudront vous enlever à elle. Vous aurez du succès. A Paris, le succès est tout, c'est la clef du pouvoir. Si les femmes trouvent que vous avez de l'esprit, du talent, les hommes le croiront. Allez, monsieur de Rastignac. Vous voulez arriver, je vous aiderai. Mais je vous préviens : plus vous calculerez froidement, plus vous irez loin. Si vous avez un sentiment vrai, cachez-le comme un trésor. Si jamais vous aimiez, gardez bien votre secret! ne le livrez pas avant d'avoir bien su à qui vous ouvriez votre cœur. Méfiez-vous du monde. Mais laissez-moi, maintenant. Nous, les femmes, nous avons aussi nos batailles à livrer.

Arrivant rue Neuve-Sainte-Geneviève, il vit tous les pensionnaires déjà à table. Le spectacle misérable de ces dix-huit personnes le mit de mauvaise humeur. Après ses deux visites de l'après-midi, le contraste était trop brutal.

— Vous êtes bien sombre, monsieur le marquis, lui dit Vautrin en lui jetant un de ces regards qui semblent aller au fond du cœur.

— Je n'ai pas envie d'écouter les plaisanteries de ceux qui m'appellent monsieur le marquis, répondit-il. Ici, pour être vraiment marquis, il faut avoir cent mille livres de rente, et quand on vit dans la maison Vauquer on n'est pas précisément le favori de la fortune.

Mais Vautrin continua :

— Vous êtes de mauvaise humeur, parce que vous n'avez peut-être pas réussi auprès de la belle comtesse de Restaud.

— Elle m'a fermé sa porte pour lui avoir dit que son père mangeait à notre table, s'écria Rastignac.

Tous les pensionnaires se regardèrent. Le père Goriot baissa les yeux, et se retourna pour les essuyer. Ensuite, il regarda Vautrin.

— Celui qui s'attaquera au père Goriot s'attaquera désormais à moi, continua Eugène, car il vaut mieux que nous tous.

Mais Vautrin reprit aussitôt :

– Pour prendre le père Goriot à votre compte, il faut savoir tenir une *épée* et bien tirer le pistolet.

épée

– Ainsi ferai-je, dit Eugène.

Le dîner se poursuivit en silence. Au bout d'un certain temps, seule Mme Vauquer osa prendre la parole :

– Monsieur Goriot, dit-elle à voix basse, est donc le père d'une comtesse ?

– Et d'une baronne, lui répliqua Rastignac.

Quand le dîner fut fini, le père Goriot prit Eugène à part et lui dit d'une voix émue :

– Vous avez donc vu ma fille ?

Eugène lui prit la main, et le regardant avec une sorte de tendresse, il répondit :

– Vous êtes un brave et digne homme. Nous causerons de vos filles plus tard.

Ensuite, il se retira dans sa chambre, où il écrivit à sa mère la lettre suivante :

Ma chère mère. Je suis dans une situation à faire vite fortune. J'ai besoin de douze cents francs, et il me les faut à tout prix. Ne dis rien de ma demande à mon père, il s'y opposerait peut-être. Je t'expliquerai mes motifs aussitôt que je te verrai, car il faudrait t'écrire des pages entières pour te faire comprendre la situation dans laquelle je suis. Je n'ai pas joué, ma bonne mère, je ne dois rien ; mais si tu tiens à me conserver la vie que tu m'as donnée, il faut me trouver cette somme. Enfin, je vais chez la vicom-tesse de Beauséant qui m'a pris sous sa protection. Je dois aller dans le monde, et je n'ai pas un sou pour avoir des gants propres. Il s'agit pour moi de *faire mon chemin* ou de rester dans la *boue*. Je sais toutes les espérances que vous avez mises en moi, et veux les réaliser vite. Ma bonne mère, vends quelques-uns de tes anciens bijoux, je te les remplacerai bientôt. Je connais assez la situation de notre famille pour savoir apprécier de tels sacrifices, et tu dois croire que je ne te demande pas de les faire en vain, sinon je serais inhumain. Notre avenir est tout entier dans cette aide, car cette vie de Paris est un combat éternel. Etc.

Après avoir terminé cette lettre, il écrivit à chacune de ses sœurs en leur demandant leurs économies, en parlant de l'honneur de la famille, chose qui résonne si fort dans de jeunes cœurs.

Le lendemain, Eugène alla jeter ses lettres à la poste. Il hésita jusqu'au dernier moment, mais il finit par les jeter dans la boîte en disant : « Je réussirai ! »

Quelques jours après, Eugène alla chez Mme de Restaud et ne fut pas reçu. Trois fois il y retourna, trois fois encore il trouva la porte fermée, quoiqu'il se présentât à des heures où le comte de Trailles n'y était pas. La vicomtesse avait eu raison.

L'étudiant n'étudia plus. Il s'était fait le raisonnement que se font la plupart des étudiants. Il réservait ses études pour le moment où il s'agirait de passer ses examens. Deux fois dans cette semaine, il vit Mme de Beauséant qui avait réussi à *suspendre* le mariage de Mlle de Rochefide avec le marquis d'Adjuda-Pinto de quelques jours.

---

faire son chemin, bien réussir dans la vie.

boue, terre mêlée d'eau et devenue une sorte de liquide épais et sale.

suspendre, interrompre pour un certain temps.

Vers la fin de la première semaine du mois de décembre, Rastignac reçut deux lettres, l'une de sa mère, l'autre de sa sœur aînée. Ces écritures si connues le firent à la fois sauter de joie et trembler de peur. La lettre de sa mère était ainsi conçue :

Mon cher enfant, je t'envoie ce que tu m'as demandé. Fais un bon emploi de cet argent, car je ne pourrais, quand il s'agirait de te sauver la vie, trouver une seconde fois une somme si considérable sans que ton père le sache. Il m'est impossible de juger le mérite de projets que je ne connais pas ; mais de quelle nature sont-ils donc pour te faire craindre de me les confier ? Je ne saurais te cacher l'impression douloureuse que ta lettre m'a causée. Mon cher fils, quel est donc le sentiment qui t'a obligé de jeter un tel effroi dans mon cœur ? Tu as dû bien souffrir en m'écrivant, car j'ai bien souffert en te lisant. Dans quelle carrière t'engages-tu donc ? Ta vie, ton bonheur seraient donc de paraître ce que tu n'es pas, de voir un monde où tu ne saurais aller sans faire des dépenses d'argent au-dessus de tes moyens, sans perdre un temps précieux pour tes études ? Je ne te gronde pas, mes paroles sont celles d'une mère aussi confiante que prévoyante. Etc.

Quand Eugène eut achevé cette lettre, il avait les larmes aux yeux, il pensait au père Goriot vendant son vermeil pour aller payer la lettre de change de sa fille. « Ta mère a vendu ses bijoux ! » se disait-il, et il éprouva des remords terribles. Il avait envie de renoncer au monde, de ne pas accepter cet argent. Ensuite, Rastignac ouvrit la lettre de sa sœur.

Ta lettre est venue bien à propos, cher frère. Agathe et moi nous voulions employer notre argent de tant de manières différentes que nous ne savions plus à laquelle nous résoudre. Agathe a sauté de joie. Enfin, nous avons été comme deux folles pendant toute la journée. Mais, moi j'éprouvais du chagrin au milieu de ma joie. Je ferai sans doute une mauvaise femme, je suis trop *dépensière*. Je m'étais acheté deux ceintures de sorte que j'avais moins d'argent que cette grosse Agathe qui est économe comme notre père. Elle avait deux cents francs ! Moi, pauvre ami, je n'en ai que cent cinquante. Je suis bien punie, je voudrais jeter ma ceinture dans l'eau, il me sera toujours pénible de la porter. Je t'ai volé. Mais Agathe a été charmante. Elle m'a dit : « Envoyons les trois cent cinquante francs à nous deux ! » Et c'est ainsi que nous avons fait. Adieu, cher frère, je t'envoie tant de vœux pour ton bonheur. Tu auras donc bien des choses à nous dire quand tu viendras ! Tu me diras tout, à moi, je suis l'aînée. Ma mère nous a laissé soupçonner que tu avais du succès dans le monde. Dis donc, Eugène, nous pourrions nous passer de mouchoirs, et nous te ferions des chemises. Réponds-moi vite à ce sujet. S'il te fallait de belles chemises bien cousues, nous serions obligées de nous y mettre tout de suite ; et s'il y avait à Paris des façons que nous ne connussions pas, tu nous enverrais un modèle. Adieu, adieu ! Je t'embrasse au front du côté gauche qui m'appartient exclusivement. Je laisse l'autre feuille pour Agathe qui m'a promis de ne rien lire de ce que je te dis. Mais, pour en être sûre, je resterai près d'elle pendant qu'elle t'écrira. Ta sœur qui t'aime.

LAURE DE RASTIGNAC

« Oh ! oui, se dit Eugène, oui, la fortune à tout prix ! Je voudrais leur apporter tous les bonheurs ensemble. Laure a raison, je n'ai que des chemises de grosse toile. En voyant M. de Trailles, j'ai compris l'influence qu'exercent les *tailleurs* sur la vie des jeunes gens. »

---

dépensier, qui aime dépenser beaucoup d'argent.
tailleur, celui qui fait des vêtements.

Quinze cents francs et des habits *à volonté!* En ce moment, le pauvre étudiant n'avait plus peur de rien, et descendit au déjeuner avec l'air d'un homme riche.

Pendant le déjeuner, le facteur se présenta dans la salle à manger. Il demanda M. Eugène de Rastignac, auquel il tendit deux sacs d'argent en lui demandant une signature. Au moment de signer, Rastignac se sentit comme percé par le regard profond de Vautrin qui lui dit :

– Vous aurez de quoi payer des leçons pour apprendre à tirer au pistolet.

– Vous avez une bonne mère, dit Mme Vauquer.

– Oui, la maman a fait des sacrifices, continua Vautrin. Vous pourrez maintenant vous amuser, aller dans le monde, danser avec des comtesses qui ont des fleurs dans les cheveux. Mais croyez-moi, jeune homme, apprenez à tirer !

En terminant sa phrase, Vautrin fit le geste d'un homme qui *vise* son adversaire. Rastignac voulut donner un pourboire au facteur, et ne trouva rien dans sa poche. Tout de suite, Vautrin *fouilla* dans la sienne, et jeta vingt sous à l'homme.

Rastignac fut forcé de le remercier, quoique depuis le jour où il était revenu de chez Mme de Beauséant, cet homme lui fût insupportable. Pendant ces huit jours, Eugène et Vautrin étaient restés sans se parler en s'observant l'un l'autre.

– Faites-moi le plaisir d'attendre un instant, dit-il à Vautrin quand celui-ci se leva pour sortir après avoir terminé son café.

à volonté, tant que l'on veut.
viser, diriger une arme vers un but.
fouiller, chercher en remuant.

– Pourquoi ? demanda Vautrin en mettant son chapeau.

– Je préfère vous rendre la monnaie tout de suite, reprit l'étudiant qui avait ouvert un sac et était en train de compter cent quarante francs pour Mme Vauquer, l'argent qu'il lui devait pour sa pension.

– Les bons comptes font les bons amis, dit-il en donnant l'argent à la veuve. Maintenant, je ne vous dois plus rien. Changez-moi ces cent sous, si vous le voulez bien.

Ensuite, il tendit vingt sous à Vautrin qui les prit avec un sourire en disant sur un ton ironique :

– On dirait que vous avez peur de me devoir quelque chose ?

– Mais ... oui, répondit l'étudiant qui tenait ses deux sacs à la main et s'était levé pour monter chez lui.

– Savez-vous, monsieur le marquis de Rastignac, que ce que vous me dites là n'est pas exactement poli, dit alors Vautrin en fermant la porte du salon et venant à l'étudiant qui le regarda froidement.

Alors, Rastignac ferma la porte de la salle à manger et emmena Vautrin avec lui au bas de l'escalier, où il y avait une porte qui donnait sur le jardin. Là, l'étudiant dit devant la grosse Sylvie qui sortait de la cuisine :

– Monsieur Vautrin, je ne suis pas marquis, et je m'appelle Monsieur Rastignac.

Depuis le salon, les autres pensionnaires avaient suivi la discussion, et, tout à coup, Mlle Victorine se leva pour regarder dans le jardin.

– Les voilà sous les arbres dans le jardin, cria-t-elle. Ils vont se battre.

– Que non, répondit Mme Vauquer en caressant l'argent que Rastignac venait de lui donner.

– Remontons, ma chère petite, dit Mme Couture à Victorine, ces affaires-là ne nous regardent pas.

Quand Mme Couture et Victorine se levèrent, elles rencontrèrent Sylvie à la porte.

– Qu'y a-t-il donc ? dit-elle. M. Vautrin a dit à Eugène : « Expliquons-nous ! » Puis, il l'a pris par le bras, et les voilà qui marchent vers le fond du jardin.

A ce moment Vautrin parut.

– Maman Vauquer, dit-il en souriant, n'ayez pas peur, je vais essayer mes pistolets sous les arbres.

– Oh ! monsieur, dit Victorine en joignant les mains, pourquoi voulez-vous tuer M. Eugène ?

Vautrin fit deux pas en arrière et comtempla Victorine.

– C'est une autre histoire, s'écria-t-il d'une voix furieuse qui fit peur à la jeune fille. Il est bien gentil, n'est-ce pas, ce jeune homme-là ? Vous me donnez une idée. Je ferai votre bonheur à tous les deux, ma belle enfant.

– Je ne veux pas qu'on tire des coups de pistolet chez moi, dit Mme Vauquer. Vous allez effrayer tout le voisinage et amener la police, à cette heure-ci !

– Allons, du calme, maman Vauquer, répondit Vautrin. Ensuite, il rejoignit Rastignac qu'il prit familièrement par le bras :

– Quand je vous aurai prouvé qu'à trente-cinq pas je mets cinq fois de suite ma balle dans cette branche-là, cela ne vous ôterait pas votre courage ?

– Vous reculez maintenant, vous n'oserez pas me tuer, lui répondit Eugène.

– Ne m'excitez pas, dit Vautrin. Venez vous asseoir

là-bas, dit-il en montrant un banc au fond du jardin. Là, personne ne nous entendra. J'ai à vous parler. Vous êtes un bon petit jeune homme auquel je ne veux pas de mal. Allez, mettez vos sacs là, reprit-il en s'asseyant sur le banc.

Rastignac posa son argent et s'assit, curieux d'écouter cet homme qui, après avoir parlé de le tuer, se posait maintenant comme son protecteur.

– Vous voudriez bien savoir qui je suis, ce que j'ai fait, ou ce que je fais, reprit Vautrin. Allons, du calme. Vous allez être surpris. J'ai eu des malheurs. Ecoutez-moi d'abord, vous me répondrez après. Voilà ma vie en trois mots. Qui suis-je ? Vautrin. Que fais-je ? Ce qui me plaît. Passons. Voulez-vous connaître mon caractère ? Je suis bon avec ceux qui me font du bien ou dont le cœur parle au mien. A ceux-là tout est permis, ils peuvent me donner des coups de pied sans que je me fâche. Mais, les autres ! je suis méchant comme le diable avec ceux qui me poursuivent, ou ceux que je n'aime pas. Et il est bon de vous apprendre que cela ne me fait rien de tuer un homme comme ça ! dit-il en *crachant* par terre. Je m'efforce de le tuer, seulement, quand il le faut à tout prix. Mon petit, le duel est un jeu d'enfant, une bêtise. Quand de deux hommes vivants, l'un doit disparaître, il faut être un *imbécile* pour faire confiance au hasard. Je mets cinq balles de suite, dans le même trou, là où je veux, et à trente-cinq pas encore ! Avec ce petit talent-là, l'on peut être sûr d'abattre son homme. Vous voulez arriver dans la vie, il vous faut de l'argent.

---

cracher, lancer de l'eau hors de la bouche.
imbécile, quelqu'un qui n'est pas intelligent.

Mais où le prendre? Vous demandez à vos parents. Mais quand il n'y en aura plus, que ferez-vous? Vous travaillerez? Mais s'il y a cinquante mille jeunes gens qui se trouvent tous dans votre position, il faut vous manger les uns les autres, car il n'y a pas cinquante mille bonnes places. Savez-vous comment on fait son chemin ici? Par l'éclat du génie ou par l'adresse de la corruption. Il faut entrer dans cette masse d'hommes comme un boulet de canon ou *s'y glisser* comme une peste. L'honnêteté ne sert à rien. Aussi un homme honnête est-il l'ennemi commun. Mais que croyez-vous que soit un homme honnête? A Paris, c'est celui qui se tait et qui refuse de partager sa femme avec un autre. Je ne vous parle pas de ces pauvres travailleurs qui partout font la besogne sans être jamais récompensés de leurs travaux. Bien sûr, là est la vertu dans toute la fleur de sa bêtise, mais là est la misère. Si donc vous voulez vite la fortune, il faut être déjà riche ou le paraître. Pour devenir riche, il s'agit de jouer de grands coups.

— Que faut-il que je fasse? dit Rastignac qui se laissait emporter par le discours de Vautrin.

— Epousez une fille riche! Ecoutez, ne vous étonnez ni de ce que je vais vous proposer, ni de ce que je vais vous demander! Ecoutez-moi bien. Le cœur d'une pauvre fille malheureuse et misérable est facile à remplir d'amour. Il faut faire la cour à une jeune personne qui se trouve dans des conditions de solitude, de désespoir et de pauvreté, sans qu'elle se doute de sa fortune à venir.

— Mais où trouver cette fille? dit Eugène.

---

se glisser, s'introduire avec beaucoup d'adresse.

– Elle est à vous, devant vous !

– Mlle Victorine ?

– Juste !

– Eh comment ?

– Elle vous aime déjà, votre petite baronne de Rastignac.

– Elle n'a pas un sou, reprit Eugène étonné.

– Ah ! nous y voilà. Encore deux mots, dit Vautrin, et tout devient clair. Le père Taillefer est un vieux *coquin* qui passe pour avoir tué l'un de ses amis pendant *la Révolution*. Il est banquier, principal associé de la maison Frédéric Taillefer et compagnie. Il a un fils unique, auquel il veut laisser sa fortune, en faisant tort à Victorine. Moi, je n'aime pas ces injustices-là. Je suis comme don Quichotte, j'aime à prendre la défense du faible contre le fort. Si la volonté de Dieu était de lui retirer son fils, Taillefer reprendrait sa fille. Il voudrait un *héritier* quelconque, c'est dans la nature de l'homme. Victorine est douce et gentille, elle aura bientôt charmé son père. Elle sera trop sensible à votre amour pour vous oublier, vous l'épouserez. Moi, je me charge du rôle de la *providence*, je ferai vouloir le bon Dieu. J'ai un ami, un colonel de l'armée de la Loire, qui ferait tout pour moi. Sur un seul mot de son papa Vautrin, il cher-

---

coquin, homme sans honneur, ni morale.

la Révolution, il s'agit de la Révolution française de 1789, pendant laquelle un certain nombre d'individus ont profité des troubles politiques pour régler leurs affaires personnelles.

héritier, celui qui reçoit les biens de quelqu'un à sa mort ; ici : c'est pour M. Taillefer une question d'orgueil : un homme comme lui ne peut pas, à son avis, laisser sa fortune à un inconnu.

providence, le hasard qui fait bien les choses.

chera *querelle* à ce *vaurien* qui n'envoie même pas cent sous à sa pauvre sœur, et... Ici Vautrin se leva, et fit semblant de faire un duel.

— Quelle horreur ! dit Eugène. Vous voulez plaisanter, monsieur Vautrin ?

— Là, là, là, du calme, reprit cet homme. Ne *faites pas l'enfant* ; cependant, si cela peut vous amuser, grondez-moi. Dites que je suis un coquin, un bandit, je vous pardonne, c'est si naturel à votre âge ! J'ai été comme ça, moi ! Seulement, réfléchissez. Vous ferez pis un jour. Vous irez faire la cour à quelque jolie femme et vous recevrez de l'argent. *Vous y avez pensé* ! car comment réussirez-vous, si vous ne payez pas avec votre amour.

— Silence, monsieur, je ne veux pas en entendre davantage, vous me feriez douter de moi-même. En ce moment *le sentiment* est toute ma science.

— Comme vous voulez, mon enfant. Je vous croyais plus fort, dit Vautrin, je ne vous dirai plus rien. Un dernier mot, cependant. Souvenez-vous de ce que je veux faire pour vous. Je vous donne quinze jours pour réfléchir. C'est à prendre ou à laisser.

— Quel homme ! se dit Rastignac en voyant Vautrin s'en aller tranquillement. Il m'a déchiré le cœur avec

---

querelle, violente discussion.

vaurien, personne sans valeur morale.

faire l'enfant, se conduire comme un enfant.

vous y avez pensé!, « ! » est mis là pour montrer que Vautrin lit dans les sentiments de Rastignac comme s'ils étaient les siens.

le sentiment, ici : les sentiments sincères.

ses *griffes*. Pourquoi veux-je aller chez Mme de Nucingen ? Il a deviné mes motifs au moment même où j'y pensais. Ma jeunesse est encore *bleue comme un ciel sans nuage* ; vouloir être grand ou riche, est-ce se résoudre à mentir, flatter, cacher ses sentiments ? Eh bien, non. Je veux travailler noblement, comme un saint ; je veux travailler jour et nuit, ne devoir ma fortune qu'à mon travail. Ce sera la plus lente des fortunes, mais chaque soir je pourrai me coucher sans une pensée mauvaise. Qu'y a-t-il de plus beau que de *contempler* sa vie et de la trouver pure comme une fleur ? Moi et la vie, nous sommes comme un jeune homme et sa fiancée. Diable ! ma tête se perd. Je ne veux penser à rien, le cœur est un bon guide.

Eugène fut tiré de ses rêves par la voix de la grosse Sylvie qui lui annonça le tailleur qu'il avait chargé de lui faire des vêtements correspondant à son désir d'être « parisien » d'aspect, afin de n'être plus ridicule chez les gens du monde. Quand il eut essayé ses habits du soir, il mit sa nouvelle toilette du matin qui le transformait complètement. « Je vaux bien un M. de Trailles, se dit-il. Enfin j'ai l'air d'un *gentilhomme* ! »

griffe

---

bleu comme un ciel sans nuage, c'est-à-dire : je suis encore plein de naïveté et d'honnêteté.

contempler, regarder attentivement – souvent avec admiration.

gentilhomme, homme de race noble.

Questions

1. Etudiez l'attitude de Rastignac chez Mme de Beau-
   séant, puis à la pension, enfin, quand il est avec
   Vautrin.
   Quels sentiments contradictoires l'agitent?

2. En quoi les conseils de Mme de Beauséant et ceux
   de Vautrin sont-ils de la même espèce, bien qu'ils
   les expriment différemment?

3. Dans sa conversation avec Vautrin, quels détails
   indiquent que Rastignac est un provincial naïf?

4. Vautrin apparaît-il ici comme un personnage sympathique ou comme le mauvais génie de Rastignac?

5. Comment Balzac réussit-il à mettre en évidence le
   conflit intérieur de Rastignac qui est déchiré entre
   ses sentiments purs et honnêtes de jeune provincial
   et son ambition?

7

Le tailleur à peine parti, l'on frappa à la porte de
Rastignac et il se souvint avoir demandé au père
Goriot de venir le voir pour lui parler de sa seconde
fille.

– Monsieur, dit le père Goriot en entrant, vous
m'avez demandé si je connaissais les maisons où va
Mme de Nucingen?

– Oui!

– Eh bien, elle va lundi prochain au bal du maré-
chal Carigliano. Si vous pouvez y être, vous me direz
si mes deux filles se sont bien amusées, comment elles
seront habillées, enfin tout.

– Comment avez-vous su cela, mon bon père
Goriot? dit Eugène en le faisant asseoir devant le
feu.

– Sa *femme de chambre* me l'a dit. Je sais tout ce
qu'elles font par Thérèse et par Constance, reprit-il
d'un air joyeux. Vous les verrez, vous!

– Je ne sais pas, répondit Eugène. Je vais aller
chez Mme de Beauséant lui demander si elle peut me
présenter à la maréchale.

– Monsieur, dit soudainement le père Goriot après
un moment de silence, vous m'avez dit l'autre jour
que Mme de Restaud s'est fâchée quand vous avez
prononcé mon nom? Comment avez-vous pu croire

---

femme de chambre, femme attachée au service d'une maison
ou d'un hôtel.

cela ? Mes deux filles m'aiment bien. Je suis un heureux père. Seulement, mes deux gendres se sont mal
conduits envers moi. Je n'ai pas voulu faire souffrir
ces chères créatures, et j'ai préféré les voir en secret.
Ce mystère me donne une grande joie que ne com-
prennent pas les autres pères qui peuvent voir leurs
filles quand ils le veulent. Moi, je ne peux pas, comprenez-vous ? Alors je vais, quand il fait beau, sur
les *Champs-Elysées*, après avoir demandé aux femmes de chambre si mes filles sortent. Je les attends
au passage, le cœur me bat quand les voitures arri-
vent, je les admire dans leur toilette, elles me jettent
en passant un petit rire qui est pour moi comme un
rayon de soleil. J'entends dire autour de moi : « Voilà
une belle femme ! » Ça me réjouit le cœur. N'est-ce
pas mon sang ? Je suis heureux à ma manière. Est-ce
contre les lois que j'aille voir mes filles le soir, au
moment où elles sortent de leurs maisons pour se
rendre au bal ? Je vous en prie, ne me parlez d'elles
que pour dire combien mes filles sont bonnes. Elles
veulent me donner toutes sortes de cadeaux ; je les
en empêche, je leur dis : « Gardez donc votre argent !
Que voulez-vous que j'en fasse ? Je n'ai besoin de
rien. » Quand vous aurez vu Mme de Nucingen, vous
me direz celle des deux que vous préférez, continua le
bonhomme en voyant Eugène se préparer à sortir.

Vers cinq heures Eugène se présenta chez Mme de
Beauséant, après s'être promené aux Tuileries où il
avait remarqué que quelques femmes le regardaient.

Champs-Elysées, avenue de Paris, où on rencontrait, au début
du XIXe siècle, les « gens du monde ».

Il était si beau, si jeune, et d'une telle élégance ! C'est donc plein d'assurance qu'il entra chez Mme de Beauséant, et grande fut sa surprise, quand elle le reçut d'un geste sec, et lui dit d'une voix brève :

– Monsieur de Rastignac, il m'est impossible de vous voir, en ce moment du moins ! je suis en affaire...

– Mais, madame, dit-il d'une voix émue, s'il ne s'agissait pas d'une chose importante, je ne serais pas venu vous déranger ; soyez assez bonne pour me permettre de vous voir plus tard, j'attendrai.

– Eh bien, venez dîner avec moi, dit-elle un peu confuse de la dureté qu'elle avait mise dans ses paroles ; car cette femme était vraiment aussi bonne que grande.

Quand il revint chez la vicomtesse, il la trouva pleine de cette bonté gracieuse qu'elle lui avait toujours montrée. Tous deux entrèrent dans la salle à manger où le vicomte de Beauséant les attendait. Le dîner se passa en silence. De temps en temps Mme de Beauséant regardait vainement Eugène pour l'inviter à parler, mais il ne voulut rien dire en présence du vicomte.

– Me menez-vous ce soir aux Italiens ? demanda enfin la vicomtesse à son mari.

– Vous ne pouvez douter du plaisir que j'aurais à vous obéir, répondit-il avec une galanterie ironique qui surprit l'étudiant, mais je dois aller rejoindre quelqu'un aux Variétés.

« Sa maîtresse », se dit-elle.

– Vous n'avez donc pas d'Adjuda ce soir ? demanda le vicomte.

– Non, répondit-elle avec colère.

– Eh bien, s'il vous faut absolument un bras, pre-
nez celui de M. de Rastignac.

La vicomtesse regarda Eugène en souriant.

– Ce sera bien compromettant pour vous, dit-elle.

– « Le Français aime le *péril*, parce qu'il y trouve
la gloire », a dit M. de *Chateaubriand*, répondit Rastignac en s'inclinant.

Quelques instants plus tard, il était conduit accom-
pagnant Mme de Beauséant, dans un *coupé* rapide,
au théâtre à la mode, et il crut rêver lorsqu'il entra
dans une loge de face, et qu'il vit tous les regards se
diriger vers la vicomtesse, dont la toilette était délicieuse.

– Vous avez à me parler, lui dit Mme de Beauséant. Ha! tenez, voici Mme de Nucingen à trois
loges de la nôtre. Sa sœur et M. de Trailles sont de
l'autre côté.

– Elle est charmante, dit Eugène après avoir re-
gardé Mme de Nucingen longuement.

– Si vous continuez à la couvrir de vos regards,
vous allez faire scandale, monsieur de Rastignac.

– Ma chère cousine, dit Eugène, vous m'avez déjà
bien protégé ; si vous voulez achever votre ouvrage,
je ne vous demande plus que de me rendre un service
qui vous donnera peu de peine et qui me fera très
plaisir. Me voici amoureux.

– Déjà ?

– Oui.

– Et de cette femme ?

---

péril, danger.

Chateaubriand (François de), écrivain français du début du
XIXe siècle.

coupé, voiture à deux places.

– Oui. Mme la duchesse de Carigliano donne lundi
un bal, auquel je vous prie d'avoir la bonté de me
faire inviter, car j'y rencontrerai Mme de Nucingen.

– Volontiers, dit-elle. Si vous vous sentez déjà du
goût pour elle, vos affaires vont très bien. Elle souffre
en ce moment, car M. de Marsay est dans la loge de
la princesse Galathionne. Le moment est donc très
bien choisi pour faire sa connaissance.

En ce moment le marquis d'Adjuda se présenta
dans la loge de Mme de Beauséant. Le visage de la
vicomtesse s'éclaira et apprit à Eugène à reconnaître
les expressions d'un véritable amour. Il admira sa
cousine, devint *muet* et céda sa place à M. d'Adjuda.

Quand le premier acte fut terminé, Mme de Beauséant s'arrangea pour que le marquis d'Adjuda présentât Rastignac à Mme de Nucingen. Celle-ci fut
charmée de faire sa connaissance, surtout quand Eu-

---

muet, qui ne peut pas parler.

gène lui apprit qu'il était voisin de son père, car Mme
de Nucingen, en effet, *adorait* son père.

Rien ne peut décrire la bonne humeur de l'étudiant
rentrant chez lui après le théâtre. Il frappa rudement
à la porte du père Goriot.

— Mon voisin, dit-il, j'ai vu Mme Delphine ce soir.

— Où?

— Aux Italiens.

— S'amusait-elle bien? Entrez donc. Et le bonhomme, qui s'était levé en chemise, ouvrit la porte
et se recoucha tout de suite. Parlez-moi donc d'elle,
demanda-t-il.

Eugène, qui se trouvait pour la première fois chez
le père Goriot, eut du mal à cacher à quel point il
était stupéfait de voir dans quelle misère vivait le
père, après avoir admiré la toilette de la fille. Heu-
reusement, Goriot ne vit pas l'expression du visage
d'Eugène quand celui-ci posa sa *chandelle* sur la table
de nuit. Le bonhomme se tourna vers le mur pour
écouter l'étudiant parler.

— Eh bien, laquelle préférez-vous de mes deux filles? demanda-t-il enfin.

— Je préfère Mme Delphine, répondit l'étudiant,
parce qu'elle vous aime mieux.

A cette parole chaudement dite, le père Goriot
sortit son bras du lit et serra la main d'Eugène.

chandelle

---

adorer, aimer beaucoup.

– Merci, merci, répondit le vieillard ému. Que vous a-t-elle donc dit de moi ?

L'étudiant répéta la conversation qu'il avait eue avec la baronne, et le vieillard l'écouta comme s'il eût entendu la parole de Dieu.

Quelques jours plus tard, Eugène reçut une lettre de Mme de Nucingen lui demandant de l'accompagner à l'Opéra le samedi prochain, car son mari était empêché d'y aller avec elle. Le père Goriot, qui lui avait transmis la lettre, attendit avec impatience la réponse de l'étudiant.

– Eh bien, dit-il, à quoi pensez-vous donc ?

– Je pense qu'une femme ne se jette pas ainsi à la tête d'un homme, répondit Rastignac. Elle veut se servir de moi pour ramener M. de Marsay qui l'a quittée pour la princesse Galathionne.

– Mais vous irez, n'est-ce pas ? insista le bonhomme.

– Oui, j'irai.

Samedi soir, Rastignac arriva rue Saint-Lazare, dans une de ces maisons de construction à l'aspect léger, à colonnes minces, qui constituent le Paris élégant, une véritable maison de banquier. Il trouva Mme de Nucingen dans un petit salon décoré de peintures italiennes ; elle avait l'air triste.

– J'ai bien peu de droits à votre confiance, madame, dit-il en la voyant ainsi ; mais si vous voulez que je m'en aille, vous me le direz franchement.

– Restez, dit-elle, je serais seule si vous vous en alliez. Nucingen dîne en ville, et je ne voudrais pas être seule.

— Mais qu'avez-vous ?

— Vous seriez la dernière personne à qui je le dirais, s'écria-t-elle.

— Ecoutez, lui dit Rastignac, si vous avez des chagrins, vous devez me les confier. Ou vous parlerez et me direz vos peines afin que je puisse vous aider, même s'il fallait tuer six hommes, ou je sortirai pour ne plus revenir. Laissez-moi prouver la sincérité de mes sentiments pour vous.

— Eh bien, s'écria-t-elle comme saisie de désespoir, je vais vous mettre à l'instant même à l'épreuve.

Elle sonna, et dit au valet de chambre de préparer la voiture.

— Allons, venez, dit-elle à Eugène, qui crut rêver en se retrouvant dans le coupé de M. de Nucingen, à côté de sa femme.

— Au Palais-Royal, dit-elle au cocher, près du Théâtre-Français.

En route, elle parut agitée et refusa de répondre aux mille questions d'Eugène. Quand la voiture s'arrêta, elle regarda l'étudiant d'un air qui imposa silence à ses folles paroles.

— Vous m'aimez bien ? dit-elle.

— Oui, répondit-il en cachant mal l'inquiétude qui le saisissait.

— Vous ne penserez rien de mal à mon sujet, quoi que je puisse vous demander ?

— Non.

— Etes-vous prêt à m'obéir ?

— Aveuglément.

— Etes-vous allé quelquefois dans une salle de jeu ? interrogea-t-elle d'une voix tremblante.

— Jamais.

– Ah ! je respire. Vous aurez du bonheur. Voici ma *bourse,* dit-elle. Prenez-la ! il y a cent francs, c'est tout ce que je possède. Montez dans une maison de jeu, je ne sais où elles sont, mais je sais qu'il y en a au Palais-Royal. Risquez les cent francs à un jeu qu'on appelle la roulette, et perdez tout, ou rapportez-moi six mille francs. Je vous dirai mes chagrins à votre retour.

bourse

– Que le diable m'emporte si je comprends quelque chose à ce que je vais faire, mais je vais vous obéir, dit-il en prenant la bourse. Ensuite, il courut au numéro neuf, suivant l'indication donnée par un commerçant de la rue. Il monte, on lui prend son chapeau, il entre et demande où est la roulette. On le mène devant une longue table, et à l'étonnement de tous les spectateurs, Eugène demande où il faut mettre l'argent.

– Si vous placez un louis sur un seul de ces trente-six numéros, et qu'il sorte, vous aurez trente-six louis, lui dit un vieillard respectable à cheveux blancs.

Eugène jette les cent francs sur le chiffre de son âge, vingt et un. Un cri d'étonnement part sans qu'il ait eu le temps de regarder. Il avait gagné sans le savoir.

– Retirez donc votre argent, lui dit le vieux monsieur, l'on ne gagne pas deux fois dans ce système-là.

Tout le monde le regarde avec envie, en voyant qu'il continue à jouer. La roue tourne, il gagne encore, et le banquier lui jette encore trois mille six cents francs.

– Vous avez sept mille deux cents francs à vous, lui dit à l'oreille le vieux monsieur ; si vous m'écoutez, vous feriez mieux de partir maintenant.

Rastignac, encore confus, donna dix louis à l'homme à cheveux blancs, et descendit avec les sept mille francs, ne comprenant encore rien au jeu, mais stupéfait de son bonheur.

– Ah ça, où me mènerez-vous maintenant ? dit-il en montrant l'argent à Mme de Nucingen quand il fut dans la voiture.

Delphine lui sauta au cou et l'embrassa vivement.

– Vous m'avez sauvée ! cria-t-elle, et Eugène vit des larmes qui coulaient sur ses joues. Je vais tout vous dire, mon ami. Vous serez mon ami, n'est-ce pas ? Vous me voyez riche, je parais ne manquer de rien ! Eh bien, sachez que M. de Nucingen ne me laisse pas disposer d'un sou. Je n'ai jamais osé lui demander de l'argent. Je mangeais l'argent de mes économies et celui que me donnait mon pauvre père ; et maintenant, j'ai des dettes. Quand je vous ai vu partir tout à l'heure, je voulais m'enfuir à pied... où ? je ne sais pas. Voilà la vie de la moitié des femmes de Paris : un luxe extérieur, des soucis cruels dans l'âme. Ah ! ce soir, M. de Marsay n'aura pas le droit de me regarder comme une femme qu'il a payée. Grâce à vous, me voilà redevenue libre et joyeuse. Je veux maintenant vivre simplement, ne rien dépenser. Vous me trouverez bien comme je serai, mon ami, n'est-ce pas ? Gardez ceci, dit-elle en ne prenant que six billets et en rendant à Eugène un billet de mille francs. Celui-ci refusa de l'accepter, mais la baronne lui dit :

– Je vous regarde comme mon ennemi si vous n'êtes pas mon complice.

Eugène prit alors l'argent en disant :

– Cela pourra toujours me servir en cas de malheur.

Quand ils furent arrivés chez elle, la baronne mit l'argent dans une enveloppe, écrivit l'adresse, et envoya sa femme de chambre la porter chez M. de Marsay.

Thérèse ne partit pas sans avoir jeté un coup d'œil sur Eugène. Le dîner était servi. Rastignac donna le bras à Mme de Nucingen, qui le mena dans une salle à manger délicieuse, où il retrouva le luxe de table qu'il avait admiré chez sa cousine.

– Les jours d'Italiens, dit-elle, vous viendrez dîner avec moi, et vous m'accompagnerez.

Plusieurs jours se passèrent pendant lesquels Rastignac mena la vie la plus mouvementée. Il dînait presque tous les jours avec Mme de Nucingen, qu'il accompagnait dans le monde. Il rentrait à trois ou quatre heures du matin, se levait à midi pour faire sa toilette, allait se promener au bois avec Delphine quand il faisait beau.

Quoiqu'il eût annoncé vouloir quitter la Maison Vauquer, il y était encore les derniers jours du mois de janvier, et ne savait comment partir. Vers cette époque, il avait perdu son argent et avait fait des

6*

dettes. L'étudiant commençait à comprendre qu'il lui serait impossible de continuer cette existence sans avoir des *ressources* fixes.

Un soir, après le dîner, il resta dans le salon seul entre Mme Vauquer et Mme Couture, et à un moment où il croyait que personne ne le regardait, il jeta à Mlle Taillefer un regard si tendre qu'il lui fit baisser les yeux.

– Auriez-vous des chagrins, monsieur Eugène ? lui dit-elle après un moment de silence.

– Quel homme n'a pas ses chagrins ! répondit Rastignac. Si nous étions sûrs, nous autres jeunes gens, d'être bien aimés, nous n'aurions peut-être jamais de chagrins. Vous, mademoiselle, vous vous croyez sûre de votre cœur aujourd'hui ; mais répondriez-vous de ne jamais changer ?

Un sourire parut sur les lèvres de la jeune fille.

– Quoi ! si demain vous étiez riche et heureuse, si une immense fortune vous tombait du ciel, aimeriez-vous encore le jeune homme pauvre qui vous aurait plu durant vos jours de malheur ?

Elle fit un joli signe de tête.

– Un jeune homme bien malheureux ?

Nouveau signe.

– Quelles bêtises dites-vous donc là ? s'écria Mme Vauquer.

– Laissez-nous, répondit Eugène, nous nous entendons.

– Il y aurait donc alors promesse de mariage entre M. de Rastignac et Mlle Taillefer ? dit Vautrin de sa grosse voix en se montrant tout à coup à la porte.

---

ressources, moyens d'existence d'une personne.

– Ah! vous m'avez fait peur, dirent à la fois Mme Couture et Mme Vauquer.

– Je pourrais plus mal choisir, répondit en riant Eugène.

– Pas de mauvaises plaisanteries, messieurs! dit Mme Couture. Ma fille, remontons chez nous.

Mme Vauquer suivit ses deux pensionnaires, et laissa Eugène seul et face à face avec Vautrin. Celui-ci regarda profondément l'étudiant et lui dit avec un calme et une satisfaction qui firent horreur à Eugène:

– Je savais bien qu'un jour vous vous décideriez à venir à moi.

Questions

1. Quels sont les sentiments du père Goriot quand il donne à Rastignac l'adresse où il peut rencontrer Mme de Nucingen?

2. Comment expliquez-vous l'attitude de Mme de Beauséant vis-à-vis de Rastignac?

3. Pourquoi Rastignac a-t-il l'air ridicule dans la salle de jeu alors qu'il souhaite tant paraître Parisien?

4. Pourquoi la chance favorise-t-elle Rastignac?

5. Quelle est la raison du changement d'attitude de Rastignac vis-à-vis de Victorine?

8

Le lendemain devait prendre place parmi les jours les plus extraordinaires de l'histoire de la maison Vauquer. Jusqu'alors, l'événement le plus remarquable de cette vie paisible avait été la disparition de la fausse comtesse de l'Ambermesnil, mais tout allait pâlir devant les événements de cette grande journée.

D'abord, le matin, le père Goriot était venu voir Eugène dans sa chambre pour lui parler de Delphine. La veille, au soir, l'étudiant était allé voir Mme de Nucingen, mais celle-ci n'avait pas voulu le recevoir et l'avait renvoyé de force.

– Vous avez cru qu'elle ne vous aimait plus, hein ? commença le bonhomme, et vous vous êtes allé fâché, désespéré. Mais non ! elle vous a renvoyé parce qu'elle m'attendait. Comprenez-vous ? depuis un mois elle veut vous faire une surprise. Elle est en train de vous installer un bijou d'appartement dans lequel vous irez habiter d'ici à trois jours. Je me suis arrangé pour que ma fille reçoive l'intérêt de sa dot, trente-six mille francs par an. J'irai habiter au-dessus de votre appartement, au cinquième, je ne vous gênerai pas, mais *je me fais* vieux, et je me sens trop loin de mes filles. Tous les soirs vous me parlerez d'elle, et si j'étais malade, ça me réchaufferait le cœur de vous écouter revenir, vous remuer, aller. Vous me prendrez avec vous, n'est-ce pas ?

---

se faire, devenir.

Eugène avait écouté le vieillard en silence, et quand celui-ci eut fini de parler, l'étudiant le serra dans ses bras en lui disant :

– Oui, mon bon père Goriot, vous savez bien que je vous aime...

Mais il n'eut pas le temps de terminer sa phrase, car midi sonna et le déjeuner était servi.

Les sept pensionnaires se trouvèrent réunis à table quand, soudain, le bruit d'un *fiacre* se fit entendre dans la rue, et un domestique de chez M. Taillefer entra précipitamment.

fiacre

– Mademoiselle, s'écria-t-il à Victorine, monsieur votre père vous demande. Un grand malheur est arrivé. M. Frédéric s'est battu en duel, il a reçu un coup d'épée dans le front, et les médecins craignent de ne pouvoir le sauver. Vous aurez à peine le temps de lui dire adieu, il n'a plus sa connaissance.

– Pauvre jeune homme ! s'écria Vautrin. Comment peut-on se battre quand on a trente mille livres de rente ? Décidément la jeunesse ne sait pas se conduire.

– Monsieur ! lui cria Eugène.

– Eh bien, quoi, grand enfant ? dit Vautrin en achevant de boire son café tranquillement. N'y a-t-il pas des duels tous les matins à Paris ?

– Je vais avec vous, Victorine, dit Mme Couture, et les deux femmes partirent.

– C'est singulier! dit alors Mme Vauquer, comme la mort nous prend sans nous consulter. Les jeunes gens s'en vont avant les vieux. Mais, maintenant, M. Taillefer est forcé d'adopter sa fille.

– Voilà! dit Vautrin en regardant Eugène, hier elle était sans un sou, ce matin elle est riche.

– Dites donc, monsieur Eugène, s'écria Mme Vauquer, vous avez mis la main au bon endroit.

A cette phrase, le père Goriot regarda l'étudiant.

– Madame, je n'épouserai jamais Mlle Victorine, répondit Eugène avec un sentiment d'horreur qui surprit les assistants.

Le père Goriot saisit la main de l'étudiant et la lui serra. Il aurait voulu la baiser, mais Eugène était dans un tel état qu'il ne fit même pas attention au vieillard.

– Que faire? dit-il à haute voix en se parlant à lui-même. Pas de preuves!

Vautrin se mit à sourire. A ce moment, il fut pris d'une attaque violente, et tomba par terre.

– Il y a donc une justice *divine*, se dit Eugène.

Au moment où Mme Vauquer et Mlle Michonneau se levaient pour transporter le malade sur un lit, quatre hommes se montrèrent à la porte du salon. Le premier était le chef de la police de sûreté, les trois autres étaient des officiers de paix.

– Au nom de la loi et du roi, dit un des officiers, nous venons pour arrêter Jacques Collin, un forçat qui s'est évadé de la prison de Toulon, et qui vit dans

---

divin, qui est de Dieu.

cette pension sous le nom de Vautrin. Nous le re-
cherchons depuis longtemps, mais nous n'avions pas
de preuves. C'est pourquoi nous nous sommes alliés
avec Mlle Michonneau, une des pensionnaires, qui
vient de mettre dans le café du forçat une dose de
liqueur préparée pour lui donner un *coup de sang* qui
est sans le moindre danger, mais qui lui a fait perdre
conscience. Ainsi, cela nous permet de le déshabiller
pour vérifier, si sur son épaule il a les deux *lettres
fatales* qui nous diront s'il s'agit bien de l'ancien
forçat.

Quand les agents de police eurent emporté Vautrin,
les pensionnaires, après s'être regardés les uns les
autres, regardèrent tous à la fois Mlle Michonneau,
sèche et froide, les yeux baissés pour éviter les regards. Cette figure, qui leur était antipathique depuis
si longtemps, fut tout à coup expliquée. Bianchon,
jeune étudiant en médecine et pensionnaire dans la
Maison Vauquer depuis peu de temps, fut le premier
à se pencher vers son voisin.

— Je m'en vais si cette fille doit continuer à dîner
avec nous, dit-il.

— Mais j'ai payé, je suis ici pour mon argent comme tout le monde, dit-elle en lançant un regard de
haine sur les pensionnaires.

— On vous le rendra, votre argent, dit Rastignac.

— Assez, assez, dit Mme Vauquer et continua, en
s'adressant à Mlle Michonneau : — Allons, ma chère
petite belle, vous ne voulez pas la mort de mon

---

coup de sang, attaque subite et violente au cerveau.

lettres fatales, marque au fer rouge que l'on appliquait aux
forçats pour les reconnaître.

établissement ; remontez dans votre chambre pour ce soir, et demain vous partirez.

— Pas du tout, crièrent les pensionnaires, nous voulons qu'elle sorte à l'instant.

A ce moment, une lettre arriva pour Mme Vauquer qui se laissa couler sur sa chaise, après l'avoir lue.

— Mais il n'y a plus qu'à brûler ma maison, cria-t-elle. Le fils Taillefer est mort à trois heures, et Mme Couture et Victorine me demandent leurs effets, et vont demeurer chez le père de Victorine. Tout le monde quitte ma maison, le malheur est entré chez moi.

Tout à coup on entendit de nouveau une voiture qui s'arrêtait dans la rue. C'était Mme de Nucingen qui avait envoyé un valet pour aller chercher le père Goriot et Eugène pour les emmener voir le nouvel appartement.

Le vieillard se leva, alla droit à Eugène, qui était resté pensif dans un coin, et le prit par le bras.

— Venez, lui dit-il d'un air joyeux.

— Mais vous ne vous rendez donc pas compte de ce qui s'est passé. Vautrin est arrêté, et le fils Taillefer est mort.

— Eh bien, qu'est-ce que ça vous fait ? répondit le père Goriot. Je dîne avec ma fille, chez vous, entendez-vous ? Elle vous attend, venez !

Il tira si violemment Rastignac par le bras, qu'il le fit marcher de force, et parut l'enlever comme si c'eût été sa maîtresse.

Quand Eugène se trouva dans le fiacre à côté du père Goriot, il sentit que la tête lui tournait et il n'arrivait pas à classer ses idées.

— Mais où me conduisez-vous donc ? demanda-t-il.

– Chez vous, dit le père Goriot, et à cet instant même, la voiture s'arrêta rue d'Artois devant une maison neuve et belle. Le père Goriot n'eut pas besoin de sonner, Thérèse, la femme de chambre de Mme de Nucingen, leur ouvrit la porte, et Eugène se vit dans une délicieuse *garçonnière*.

– Il a donc fallu aller vous chercher, dit Delphine en se levant et allant vers Eugène. L'étudiant la prit dans ses bras, la serra vivement et pleura de joie.

– Je savais bien, moi, qu'il t'aimait, dit tout bas le père Goriot à sa fille. Il a refusé pour toi Mlle Taillefer et ses millions. Et pourtant, elle l'aimait, cette petite; et, son frère mort, la voilà riche comme *Crésus*.

La soirée tout entière fut employée en *enfantillages*, et le père Goriot ne se montra pas le moins fou des trois. Il se couchait aux pieds de sa fille pour les baiser, il la regardait longtemps dans les yeux, bref, il faisait tout pour montrer combien il était heureux.

A minuit, la voiture de Mme de Nucingen l'attendait devant la porte, et quand elle fut partie, le père Goriot et l'étudiant retournèrent à la maison Vauquer.

– Ah! voilà mes deux fidèles, dit la veuve en les voyant rentrer.

Mais les deux fidèles, qui avait déjà tout oublié des malheurs survenus dans la pension bourgeoise, annoncèrent sans façon à leur hôtesse qu'ils allaient demeurer à la Chaussée-d'Antin.

---

garçonnière, petit appartement pour une personne seule.

Crésus, roi d'Asie, du VIe siècle avant J. C., célèbre pour ses richesses.

enfantillages, paroles et actions qui sont celles d'un enfant.

Le lendemain, Goriot et Rastignac n'attendaient plus
qu'un signe de Mme de Nucingen pour partir de la
pension, quand, vers midi, un équipage s'arrêta devant la porte. Delphine descendit de la voiture et
demanda à Sylvie si son père était encore à la pension. Sur la réponse affirmative de Sylvie, elle monta
vite l'escalier.

— Ah! mon père, dit-elle en entrant, je suis ruinée!
Puis-je parler?

— Oui, la maison est vide, dit le père Goriot d'une
voix troublée. Il ne savait pas qu'Eugène s'était mis
à l'écoute derrière la porte en entendant les pas pré-
cipités de Mme de Nucingen.

— Eh bien, reprit Delphine, Nucingen est venu ce

matin chez moi pour m'avouer qu'il avait jeté tous ses capitaux et les miens dans des entreprises à peine commencées et que si je voulais attendre un an il me rendrait une fortune double.

— Et tu crois à ses promesses, s'écria le père Goriot. C'est un comédien! Je connais les Allemands en affaires. Mais nous prend-il pour des imbéciles? Croit-il que je puisse supporter l'idée de te laisser sans dot, sans pain?

— Mon cher père! allez-y prudemment. Si vous montriez des intentions trop hostiles, je serais perdue. Il est homme à s'enfuir avec tous les capitaux, à nous abandonner, sans rien. Non, laissez-moi faire. J'arriverai peut-être à lui faire retirer mon argent, et à le placer en propriétés.

En ce moment, une deuxième voiture s'arrêta dans la rue Neuve-Sainte-Geneviève, et l'on entendit dans l'escalier la voix de Mme de Restaud. Eugène eut à peine le temps de regagner sa chambre que la comtesse arriva devant la chambre de son père.

— Mais qu'as-tu donc, Nasie? cria père Goriot en voyant entrer sa fille pâle et tourmentée.

— Eh bien, dit la pauvre femme, mon mari sait tout. Vous souvenez-vous de cette lettre de change de Maxime? Eh bien, ce n'était pas la première. J'en avais déjà payé beaucoup. Et puis, vers le commencement de janvier, Maxime m'a dit qu'il lui fallait de nouveau mille francs. Je ne les avais pas, mais pour sauver notre bonheur, j'ai porté chez l'usurier les diamants de famille, auxquels tient tant M. de Restaud, les siens, les miens, tout, je les ai vendus. Vendus! comprenez-vous? Maxime a été sauvé! Mais, moi, je suis morte. Restaud a tout su, il s'est aperçu que les diamants n'étaient plus dans l'*écrin*. D'abord, il voulait tuer M. de Trailles, mais ensuite il m'a dit qu'il ne le ferait pas à cause de nos enfants, mais qu'à la place, il me ferait signer la vente de mes biens . . .

Pendant que ses deux filles parlaient, le père Goriot était devenu de plus en plus pâle, et à la fin il fallut le coucher, tellement il se sentait mal. Puis, quand le bonhomme fut endormi en tenant la main de Delphine et d'Anastasie, les deux sœurs se retirèrent.

Eugène resta seul près du vieillard pour le surveiller, les yeux fixés sur cette tête effrayante et douloureuse à voir, et quand il fut réveillé, l'étudiant comprit qu'il était souffrant. Il *gémissait*, et quand Eugène s'approcha du lit, il entendit ces mots : « Elles ne sont pas heureuses ! »

Ce furent ses derniers mots, le chagrin de ses filles l'avait tué, et le lendemain on l'enterra aux frais de l'étudiant.

écrin, boîte à bijoux.
gémir, se plaindre faiblement.

Questions

1. Que veut dire Rastignac quand il parle d'une « justice divine » ?

2. Quelle est l'attitude des pensionnaires après l'arrestation de Vautrin ?

3. Que penser du père Goriot et de son attitude vis-à-vis de Rastignac et de sa fille Delphine à propos de l'appartement ?

4. Quel trait commun au caractère des deux filles de Goriot apparaît quand elles se trouvent réunies dans la chambre du vieillard ?

5. La dernière phrase du père Goriot est-elle l'explication de la « folie » du vieux ?